VIVRE DANS LE CŒUR

Comment entrer dans l'espace sacré du cœur

Avec deux chapitres sur la relation
entre le cœur et le Merkaba

Drunvalo Melchizédek

Ariane Éditions

Titre original anglais
Living in the Heart
© *2003 Drunvalo Melchizédek*
Publié par Light Technology Publishing
PO Box 3540, Flagstaff, Arizona 86003

© *2004 pour l'édition française*
Ariane Éditions inc.
1209, av. Bernard O., bureau 110, Outremont, Qc,
Canada H2V 1V7
Téléphone: (514) 276-2949, télécopieur : (514) 276-4121
Courrier électronique: info@ariane.qc.ca
Site Internet: www.ariane.qc.ca

Traduction : Annie J. Ollivier
Révision linguistique: L. Royer, M. Riendeau, M. Bachand
Graphisme: Carl Lemyre
Infographie: Patricia Soumahoro

Première impression: mars 2004

ISBN: 2-920987-80-1
Dépôt légal: 1er trimestre 2004
Bibliothèque nationale du Québec
Bibliothèque nationale du Canada
Bibliothèque nationale de Paris

Diffusion
Canada: ADA Diffusion – (450) 929-0296
www.ada-inc.com
France, Belgique: D.G. Diffusion – 05.61.000.999
www.dgdiffusion.com
Suisse: Transat – 23.42.77.40

Imprimé au Canada

Je dédie cet ouvrage à mon amour, ma femme Claudette

Lorsque j'ai rencontré ma femme, je savais qu'elle détenait un savoir sur le cœur qui datait de plus de quatre mille ans. Elle a été formée à voir les images du cœur par Catherine Shainberg et par Kolette, de Jérusalem.

La lignée de Kolette remonte au premier peuple de la Terre ayant écrit sur le Merkaba (Merkavah en hébreu) dans ce cycle universel. Mais les éléments mâles de cette tribu, ceux qui enseignaient le Merkaba, réalisèrent que leur peuple n'était pas prêt à une expérience interdimensionnelle directe, car ces gens devenaient extrêmement troublés sur le plan émotionnel quand ils interagissaient directement avec d'autres mondes. Pour résoudre ce problème, les éléments femelles de cette tribu créèrent un système de connaissances pour préparer leur peuple aux autres mondes grâce au mystère féminin des images du cœur.

Lorsque ma femme me fit part de ces images pour la première fois, je ne pus rien trouver en moi pour les expliquer ou comprendre leur fonctionnement sur l'âme humaine. Tout ce que je pouvais dire, c'est qu'elles fonctionnaient.

Le fait de m'être penché pendant huit ans sur les travaux de Claudette m'a finalement conduit à faire des recherches pour écrire ce livre. Je suis certain que, sans l'influence de Claudette, je chercherais encore dans ma tête les réponses à mes questions. Je lui suis donc redevable de m'avoir fait connaître les images du cœur, puisque celles-ci m'ont amené à l'expérience dont je m'apprête à vous faire part. Claudette, je t'aime et te remercie du fond du cœur.

Drunvalo

Si quelqu'un vous dit :
« Dans la cité fortifiée de l'impérissable,
notre corps, il existe un lotus,
et dans ce lotus se trouve un minuscule espace :
que contient-il pour qu'on désire le connaître ? »

Vous devez répondre :
« Ce minuscule espace dans votre cœur
est aussi vaste que l'espace.
On y trouve le ciel et la terre,
le feu et l'air, le soleil et la lune,
la foudre et les constellations,
tout ce qui vous appartient et
ne vous appartient pas ici-bas,
tout cela est rassemblé dans ce minuscule
espace contenu dans votre cœur. »

Chandogya Upanishad 8.1.2-3

Ce texte me fut remis par Ron LaPlace le lendemain du jour où j'ai terminé cet ouvrage.

Drunvalo

Préface

Depuis 1971, j'étudie intensément la méditation et le corps humain de lumière appelé Merkaba, et tout mon être a été absorbé dans cette vieille tradition pendant la plus grande partie de ma vie adulte. Cette tradition m'a toujours semblé tout englober et constituer la réponse à la myriade de questions que je me pose sur la vie. Mon guide intérieur m'a enseigné la géométrie sacrée, qui m'a amené à découvrir le corps de lumière. La géométrie sacrée semblait être complète en elle-même et receler toutes les connaissances et tous les mystères de l'univers. C'était vraiment incroyable!

Après avoir expérimenté ces champs de lumière pendant des années, j'ai compris peu à peu qu'il y avait autre chose, mais pendant longtemps je n'ai pu cerner ce que c'était. Comme toujours, Dieu se révèle d'une façon inhabituelle et souvent énigmatique. Quelque part dans l'espace de mes mondes intérieurs, un joyau ésotérique d'une immense valeur spirituelle et qui dépasse de loin le Merkaba est entré graduellement dans ma vie. Pour quelle raison? Sans doute tout simplement parce qu'il devait être utilisé.

Je vous fais don de ces mots, car je sais qui vous êtes et je vous aime comme la Terre aime le Soleil. Je crois en vous et je suis sûr que vous emploierez cette connaissance avec sagesse. Je n'ai vraiment aucune crainte qu'elle soit mal utilisée, car c'est là chose impossible.

Drunvalo Melchizédek

Table des matières

Introduction

*I*l y a très longtemps, nous, les humains, étions extrêmement différents de ce que nous sommes maintenant. Nous communiquions et fonctionnions d'une façon que très peu d'entre nous pourraient comprendre aujourd'hui. Nous savions utiliser une forme de communication et de perception ne faisant aucunement appel au cerveau, mais bien plutôt à un espace sacré se trouvant dans le cœur.

En Australie, les Aborigènes sont encore reliés à un ancien réseau de vie qu'ils nomment *dreamtime*, le «temps du rêve». Dans ce rêve ou état de conscience collectif, ils vivent encore en fonction de leur cœur et évoluent dans un monde qui a presque complètement disparu au profit de l'esprit occidental. En Nouvelle-Zélande, située tout près, les Maoris, dans leurs méditations, peuvent «voir» les États-Unis malgré la grande distance les séparant de ce pays. Ils entrent ainsi en communication avec les Hopis pour organiser des rencontres au cours desquelles ils échangeront des prophéties. Les dispositions sont prises sans que soit envoyé un seul message par un moyen technologique. À Hawaii, les Kahunas communiquent avec la Terre Mère pour lui demander où se trouvent les bancs de poissons qui nourriront leurs familles, et des volutes de nuage blanc se regroupent dans le ciel bleu pour former une main dont un doigt pointe vers un endroit regorgeant de poissons. Dans une vallée suspendue et très isolée des montagnes de la Sierra Nevada, en Colombie, vit une tribu d'indigènes qui connaissent un langage sans paroles émanant d'un espace sacré situé dans leur cœur.

Si seulement nous en avions le souvenir! Avant Babylone, selon la Bible, la race humaine avait le bonheur de ne connaître qu'un seul et unique langage. Plus tard, l'avènement de centaines de langues érigea des barrières entre les humains, les divisant en divers groupes isolés.

La méfiance issue des malentendus commença alors à faire partie de notre destin. Incapables de nous parler, nous étions voués à nous dresser les uns contre les autres. Il s'agissait là de la forme de division la plus froide possible. Même s'ils voyaient le jour grâce à la même source cosmique, frères et sœurs devinrent des ennemis puisqu'ils ne pouvaient pas se communiquer leurs pensées ni leurs émotions. Les siècles passant et l'esprit humain s'isolant toujours davantage, l'ancienne façon d'avoir recours au cœur pour avoir accès au rêve commun se perdit.

Cet ouvrage vise à retrouver cet ancien chemin du cœur. Il a toujours existé et existe encore en vous. Il existait avant la Création et existera toujours, même après que la dernière étoile aura disparu. La nuit, pendant votre sommeil, vous quittez le monde du mental et entrez dans l'espace sacré du cœur. Mais vous en souvenez-vous? Ou vous souvenez-vous seulement de votre rêve?

Pourquoi dois-je vous parler de ce «quelque chose» qui est en train de s'effacer de notre mémoire? Le fait de retrouver cet espace dans le cœur aurait-il un impact positif dans un monde où la science et la logique sont la plus grande religion? Ne sais-je pas pertinemment que nous vivons dans un monde où les émotions et les sentiments ont une importance secondaire?

Si, je le sais. Mais mes maîtres m'ont demandé de vous rappeler qui vous êtes vraiment. Ils m'ont demandé de vous rappeler que vous êtes bien plus qu'un être humain. Car en votre cœur existe un lieu sacré où le monde peut littéralement être refait par la cocréation consciente. Si vous voulez vraiment trouver la paix de l'esprit et si vous désirez rentrer au bercail, je vous invite à découvrir la beauté de votre propre cœur. Permettez-moi de vous montrer ce que l'on m'a montré. Je vous donnerai des directives précises pour retrouver le chemin de votre cœur, là où Dieu et vous ne faites qu'Un.

À vous de choisir. Je dois cependant vous prévenir d'une chose: cette expérience est lourde de responsabilités. La vie le sait toujours quand un esprit est né pour connaître des mondes supérieurs, et elle vous utilisera comme elle a utilisé tous les grands maîtres. Si vous lisez cet ouvrage, si vous faites les méditations qui y sont proposées et si vous vous attendez à ce que rien ne change dans votre vie, c'est que vous êtes dans une léthargie spirituelle. Une fois que vous serez passé dans la lumière de la «Grande Noirceur», votre vie changera et, à un moment donné, vous vous rappellerez qui vous êtes. En somme, votre existence sera dorénavant mise au service de l'humanité.

Dans les deux derniers chapitres, vous ferez une découverte importante et aurez l'aperçu d'un grand espoir. Le corps de lumière qui enveloppe notre corps physique sur un diamètre d'environ 15 à 20 mètres, le Merkaba (qui est le sujet de mes deux premiers livres, *L'ancien secret de la Fleur de vie,* tomes 1 et 2), abrite un secret qui, par sa nature, est lié à cet espace sacré du cœur. Si vous pratiquez la méditation du Merkaba, vous comprendrez sûrement que l'information contenue dans ce livre est de la plus haute importance pour votre évolution dans les mondes supérieurs de lumière. Si c'est uniquement l'espace du cœur qui vous intéresse, que ces paroles soient une bénédiction dans votre vie et vous aident à vous rappeler votre véritable nature.

J'aimerais ajouter un dernier commentaire: ce livre a été rédigé avec le moins de mots possible et illustré d'images simples afin de pouvoir transmettre tout le sens de l'essence de cette expérience et en maintenir l'intégrité. Ce livre a été écrit à partir du cœur, non du mental.

Chapitre un

Commencer par le mental

Purifier l'air au moyen de la technologie

Purifier l'air au moyen du corps de lumière humain

Retrouver le monde intérieur dans le cœur

C'est presque au hasard que j'ai choisi un moment apparemment arbitraire de ma vie pour commencer mon histoire. Non un moment où je me trouvais en méditation dans les sphères supérieures de la géométrie sacrée ou du Merkaba, mais un moment ordinaire du quotidien où j'ai pris la décision d'aider la Terre à guérir son environnement en mettant en œuvre la technologie du mental. Selon moi, cette responsabilité nous incombe à tous. Et si j'allais aborder le sujet comme je le faisais dans certaines de mes conférences, il fallait aussi que je le mette en pratique dans ma vie. Je me suis donc ouvert à toutes les possibilités qui pourraient m'apprendre à contribuer personnellement à l'amélioration des conditions environnementales de notre chère planète.

Mais comprenez-moi bien: la raison pour laquelle je vous raconte cette histoire n'a rien à voir avec l'assainissement environnemental. Il s'agit plutôt de ce qui m'est arrivé et des changements survenus dans ma vie alors que j'expérimentais une machine conçue pour assainir l'environnement, appelée R-2. Ces événements m'ont ouvert l'esprit et amené à vivre d'une façon nouvelle et différente.

J'étais loin de me douter, à ce moment-là, que ces expériences techniques me conduiraient au-delà du mental, vers les zones inconnues de ma conscience et un lieu secret au fond de mon cœur.

Purifier l'air au moyen de la technologie

L'histoire débuta en mai 1996, alors qu'un vieil ami me téléphona pour me demander si j'étais intéressé à participer à un projet d'assainissement de l'air auquel il travaillait, à Denver, au Colorado. Je tairai son nom, car je crois que c'est là son désir. Je l'appellerai donc simplement Jon. Cet homme est un scientifique rebelle qui étudie tous les aspects de la vie et du monde physique dans un petit laboratoire privé, mais à la fine pointe de la technologie.

Je doute que l'on puisse mesurer son Q.I., car cet homme est, de toute évidence, plus qu'un génie. À cette époque, il avait créé une nouvelle façon de «voir» la réalité en se servant de micro-ondes, une technique qui lui procurait un avantage énorme pour trouver des réponses à certaines questions. Même le gouvernement américain, au courant de ses travaux, n'avait pas encore réussi à effectuer ce genre de recherches.

Jon me dit que lui et ses associés, dont l'un était Slim Spurling, le créateur des incroyables serpentins, avaient découvert quelque chose dans la nature qui pouvait résoudre certains problèmes environnementaux de la planète. Il voulait que je voie ce dont il s'agissait. Il me dit qu'ils avaient complètement éliminé la pollution à Denver et que l'air au-dessus de cette ville était maintenant pur. Il me demanda de venir le constater moi-même.

Comme j'avais vécu à Boulder, juste à côté de Denver, une ville qui, vers la fin des années 70, avait le pire taux de pollution atmosphérique en Amérique, pire même que celui de Los Angeles, j'eus de la peine à croire ce qu'il me racontait. C'était d'ailleurs une des raisons qui m'avaient fait quitter Boulder. En fait, je pensais que Jon exagérait, mais comme je connaissais sa valeur sur le plan intellectuel, je me suis dit que tout était possible. Pourquoi ne pas y aller? J'avais besoin de prendre le large un peu et c'était là l'occasion rêvée de faire quelque chose d'assurément intéressant.

Je décidai donc d'aller le rejoindre, l'esprit ouvert et sans attentes. Même si éventuellement ce qu'il m'avait dit s'avérait inexact, ce déplacement me permettrait au moins de me rapprocher des cimes enneigées des Rocheuses, qui me donnaient toujours l'impression d'être plus vivant.

●   ♥   ●

Une semaine plus tard, je descendais de l'avion à Denver, dans une atmosphère d'une pureté que j'avais rarement vue dans ma vie. On aurait plutôt dit qu'il n'y avait pas d'atmosphère… Je pouvais voir les arbres sur les pentes des montagnes au loin, à environ trente kilomètres.

Bouche bée devant une propreté que je n'avais jamais connue au cours des cinq années que j'avais passées à Denver, je restai là à fixer le paysage, comme un touriste perdu en terre étrangère. Mon intérêt avait été éveillé, c'est le moins que je puisse dire. En fait, j'étais en effervescence. Ce phénomène était-il vraiment l'œuvre de Jon?

Un taxi de l'aéroport arriva en douce à côté de moi, et son chauffeur, un homme à l'allure tranquille et détendue, me fit signe de m'asseoir sur le siège avant, comme si j'étais un vieil ami. Quelques minutes plus tard, nous roulions silencieusement vers le domicile et le laboratoire de recherche de Slim Spurling, un endroit que je n'avais jamais vu mais sur lequel on m'avait raconté de fabuleuses histoires.

Je me souviens d'avoir regardé le chauffeur dans les yeux et qu'il m'a semblé totalement dénué de stress, une chose inhabituelle pour un chauffeur de taxi. Je lui demandai s'il aimait son travail. Tout en fixant la route devant lui, il me répondit qu'il l'adorait. À ses yeux, les gens étaient comme des livres ouverts, lui racontant leurs expériences de voyages autour du monde.

Là-dessus, il me demanda ce qui m'amenait à Denver. Je lui dis que j'y étais venu pour trouver une réponse aux problèmes mondiaux de pollution. Il me regarda, cette fois-ci avec l'air innocent d'un enfant, et me dit: «C'est tout parti. Regardez! Il n'y a plus de pollution dans l'air.» Je lui répondis que je voyais très bien que l'air était incroyablement pur. «Qui plus est, ajouta-t-il, tous les gens que je connais se sentent tellement bien! Savez-vous ce qui s'est passé?»

Je lui répondis par la négative. Dans la longue rue qui se termine à l'école des Mines du Colorado à Golden, dans le même État, il s'arrêta devant un bâtiment faisant partie d'une enfilade de logements à deux étages. C'est là que je devais rencontrer Slim Spurling, l'un des chercheurs accumulant de l'information sur un instrument de réduction de la pollution appelé R-2.

Cet instrument est une invention magique qui capte l'onde de forme d'un nuage de pluie juste au moment où il est sur le point d'émettre la foudre, et la disperse sur une distance de 50 kilomètres, réduisant les hydrocarbures en inoffensives molécules, en oxygène et en vapeur. Était-ce bien réel? C'était l'impression que j'avais en respirant l'air de la rue où habitait Slim.

Je frappai à la porte et entendis ce dernier me crier d'entrer. Son domicile n'était qu'un laboratoire, pas un endroit où vivre, dormir et manger! Je compris vite que son appartement se trouvait à l'étage, bien séparé du monde de la recherche.

Partout sur le sol traînaient d'étranges serpentins de cuivre de diverses dimensions ainsi que d'autres objets dont seul Dieu et Slim connaissaient la nature. Aux dires de cet homme à la longue barbe blanche ayant l'air d'un hybride entre Merlin l'Enchanteur et un vieux cow-boy à la recherche d'une vache perdue, ces «bons vieux serpentins» jouaient effectivement un rôle dans la dépollution de l'air de Denver.

Pendant cette première journée, Jon fut absent, alors que Slim travailla à tester de l'équipement avec deux autres chercheurs. À la fin de la journée, ces deux hommes partirent et je me retrouvai seul avec Slim. Ce tête-à-tête me permit de mieux comprendre cet homme qui, de toute évidence, était aussi un génie. Je restai avec Slim et ses confrères pendant quelques jours, au cours desquels j'appris ce qu'ils estimèrent pouvoir partager avec moi.

Voici la façon dont fonctionne un R-2. Cette explication est approximative et succincte. L'onde de forme émise par un nuage juste au moment où il va lancer un éclair est reproduite dans une machine spéciale (qui n'est pas le R-2). On la transpose sur une puce d'ordinateur qui est insérée dans le R-2, dont le système de «haut-parleurs» rediffuse l'onde de forme dans l'atmosphère grâce à un serpentin intégré en son centre, appelé «harmoniseur». L'onde de forme grandit, prend la forme d'un champ toroïdal (comme un beignet troué) et amène les ondes gravitationnelles à nettoyer la pollution à distance. Le R-2 comporte quatre quadrants adjoints au bout de tiges métalliques filetées; ceux-ci forment un tétraèdre. On peut les faire tourner pour harmoniser le champ toroïdal afin qu'il devienne «vivant».

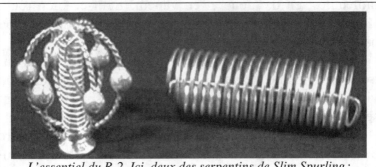

L'essentiel du R-2. Ici, deux des serpentins de Slim Spurling:
l'harmoniseur (à gauche) et le Acu-Vac (à droite).

Selon Jon et Slim, les champs énergétiques toroïdaux sont réellement vivants, une chose dont je devais convenir plus tard après les avoir vus à l'œuvre dans la nature. J'essayais donc de garder l'esprit ouvert, étant donné que tout cela était nouveau pour moi à l'époque.

J'appris tout d'abord à «accorder» un R-2 en faisant tourner les quatre quadrants et en observant la sensation au niveau de mon troisième œil. En fait, c'était facile. Comme j'avais beaucoup d'expérience dans le domaine de la médiumnité, cette opération s'accomplissait naturellement. Je me suis toutefois rendu compte que peu de gens arrivaient à l'effectuer, mais que presque tous les sensitifs pouvaient être entraînés à le faire.

J'ai donc continué à m'entraîner jusqu'à ce que Slim et Jon jugent que j'étais prêt à tester mes capacités. Le test consistait à «accorder» un R-2 dans la nature et à ramener l'équilibre dans une petite zone de Denver qui l'avait perdu. (Si un R-2 se «désaccorde», la zone sur laquelle il travaille retournera très rapidement à son état de pollution d'origine, habituellement en deux semaines.) À ce moment-là, il me semblait impossible qu'une zone quelconque de Denver soit polluée. Jon et Slim me confirmèrent cependant la chose.

Nous roulâmes sur 30 kilomètres vers le sud-est de Denver, une zone que je ne connaissais pas bien, et ensuite vers les confins de la ville. Après avoir garé la voiture sur le bord de la route, nous grimpâmes en haut d'une colline jusqu'à une crête. Une petite forêt apparut vers le sommet pendant que nous montions.

Je n'oublierai jamais ce que je vis en atteignant le sommet de la colline et en regardant vers la grande vallée située de l'autre côté. Elle était entièrement remplie d'un nuage de pollution brun rougeâtre qui s'étendait sur plusieurs kilomètres. Sous un petit tremble, à l'abri du regard d'un éventuel promeneur, se trouvait un R-2 en fonctionnement, émettant en silence sa mélodie de nuage de pluie. Le problème, c'est qu'il était «désaccordé».

Jon et Slim me firent asseoir en face du R-2 pour vérifier si j'avais bien compris ce qu'il fallait faire. Débordant d'intérêt et émerveillé comme un enfant, je m'assis en tailleur devant l'instrument et fermai les yeux pour amorcer la médiation et percevoir ce qui pourrait syntoniser l'appareil.

Juste au moment où je commençais à faire tourner les quadrants, Jon m'interrompit et me dit: «Garde les yeux ouverts pour bien voir le nuage de pollution.» Même si on ne m'avait pas entraîné à faire cela, je suivis sa directive. Tout en observant le nuage, je me remis à ajuster les quadrants. Jon m'interrompit de nouveau pour ajouter: «Écoute les oiseaux aussi.»

«Quoi?» rétorquai-je en me tournant vers lui. Personne n'avait fait allusion aux oiseaux pendant mon entraînement.

Il me répéta: «Écoute simplement les oiseaux. Tu comprendras plus tard.»

Même si je n'avais pas la moindre idée de ce dont il parlait, je me mis à l'œuvre. En tournant le premier quadrant, je sentis la zone changer à des kilomètres à la ronde, alors que rien ne semblait se passer dans le monde visible. Cependant, une fois le quatrième quadrant ajusté, deux choses se produisirent simultanément, qui me surprirent et me stupéfièrent.

Instantanément, le nuage de pollution brun rougeâtre disparut, faisant place à une atmosphère pure et limpide. C'était tout simplement un miracle! Et, au moment même où le nuage disparut, environ une centaine d'oiseaux se mirent à chanter et à gazouiller autour de moi, alors que je ne savais même pas qu'ils étaient là! La conjonction de ces deux événements eut sur moi le plus étrange effet psychique. Je venais de constater et de ressentir la puissance du R-2. Je sus alors avec certitude que cette nouvelle science était réelle et que je devais en apprendre plus par expérience directe.

Pendant la période où le R-2 fut en fonctionnement, particulièrement en 1995 et au début de 1996, l'air de Denver s'assainit énormément, mais c'est l'Agence de protection de l'environnement qui s'en attribua tout le mérite. Ce ministère déclara que l'air était devenu très pur en raison des mesures prises! Cependant, comme j'avais vu de mes propres yeux comment le R-2 avait instantanément nettoyé de vastes zones au-dessus de Denver, je réalisai que l'Agence de protection de l'environnement s'attribuait tout le mérite d'une chose dont elle n'était pratiquement pas responsable.

Par ailleurs, Jon et Slim firent tester le R-2 par un laboratoire privé de Fort Collins, au Colorado, qui leur assura sans l'ombre d'un doute que cet instrument accomplissait exactement ce qu'ils prétendaient. Les évaluateurs firent fonctionner le R-2 pendant un certain temps, puis le désactivèrent. Ils observèrent scientifiquement une baisse de la pollution pendant son fonctionnement et une hausse alors qu'il était désactivé. Ils recommencèrent cette expérience à maintes reprises, pendant environ trois mois. Parallèlement, l'armée de l'air américaine de la base militaire de Kirkland, qui s'intéressait à ces expériences ainsi qu'à celle que j'avais entamée à Phoenix (dont je parlerai plus loin), nous demanda la permission de vérifier scientifiquement nos activités et nos instruments. Nous lui accordâmes volontiers cette permission et les tests effectués prouvèrent que le R-2 éliminait effectivement la pollution atmosphérique.

De retour au laboratoire, Jon et Slim me firent asseoir et m'offrirent un R-2 que je pourrais emporter en Arizona et avec lequel je pourrais effectuer mes propres expériences. J'avoue que je me sentais comme un enfant venant de recevoir le cadeau qu'il espérait depuis longtemps. J'attendis patiemment mon retour chez moi pour commencer à explorer davantage les possibilités de cette incroyable machine.

● ● ●

Quand je rentrai en Arizona, le 30 mai 1996, les manchettes du quotidien *Arizona Republic* faisaient état du terrible problème de pollution atmosphérique de la ville de Phoenix. Le gouverneur de l'Arizona, Fife Symington, déclarait que la pollution y était si grande qu'elle serait classée dans la catégorie «grave». Des alertes étaient lancées tous les deux ou trois jours et la situation empirait quotidiennement.

Pour faire face à la situation, le gouverneur avait créé le «Groupe de travail chargé des stratégies sur l'ozone», qui avait à sa tête l'avocat Roger Ferland. Comme il fallait à tout prix trouver une solution à cette pollution, M. Ferland déclarait dans cet article: «Nous envisagerons n'importe quoi, et je dis bien n'importe quoi, qu'il s'agisse de quelque chose de radical, de farfelu, de difficile ou de cher. Nous envisagerons tout ce qui est possible.»

Il ajoutait qu'il fallait absolument éliminer la pollution à Phoenix, sinon elle détruirait le tourisme et tous les commerces qui en dépendaient, en plus de causer des problèmes de santé.

Cet article me décida à écrire à cet homme pour lui proposer d'installer le R-2 à Phoenix et lui demander de l'aide pour le faire. Comme nous avions des preuves scientifiques que cet instrument fonctionnait, des preuves provenant d'un laboratoire privé et de l'armée de l'air américaine, et comme nous ne demandions aucune compensation pécuniaire, j'étais sûr que notre proposition serait acceptée. Dans cette lettre, je demandais simplement à la municipalité de nous donner l'occasion de démontrer que nous pouvions réussir à dépolluer l'atmosphère au-dessus de la ville. Nous assumerions toutes les dépenses, et la municipalité n'aurait qu'à faire état de notre présence et à observer nos activités.

Quelques jours plus tard, je reçus un appel téléphonique d'un employé municipal, un dénommé Joe Gibbs, qui me dit que la municipalité n'était pas intéressée par le R-2 et qu'elle ne nous aiderait en aucune manière. On peut facilement imaginer à quel point cette réaction me déconcerta! C'est alors que je compris que cet article de journal ne servait qu'à sauver les apparences pour les politiciens et que ceux-ci n'avaient aucunement l'intention de dépolluer l'air de Phoenix. Ils avaient rejeté en bloc tout ce que je leur avais proposé.

Fort heureusement, personne ne pourrait m'empêcher de continuer mes recherches, car le R-2, qui utilise une pile de neuf volts, fait appel à une force en millivolts, et la loi fédérale américaine stipule que tout instrument employant moins de un volt n'est pas assujetti à la loi.

Alors, tout seul, le 4 juin 1996, je mis en fonction mon R-2 pour la première fois, à Cave Creek, aux confins nord de Scottsdale. L'air était si vicié et si sec ce jour-là que j'avais de la difficulté à respirer. Il n'avait pas plu depuis des mois et même les cactus s'étiolaient. Pendant les trois premiers jours, rien ne se produisit. Puis, le quatrième jour, un petit nuage gris fit son apparition au-dessus de ma maison. Il n'y avait aucun nuage dans tout le sud de l'Arizona sauf celui-ci, au-dessus de chez moi et du R-2. Puis le nuage se mit à grossir.

Le dixième jour, ce nuage avait tellement grossi qu'il mesurait environ 25 kilomètres de diamètre. Et enfin, pour la première fois depuis bien longtemps, il commença à pleuvoir. Il y avait aussi des éclairs, et pas juste un peu ! La foudre tomba comme je n'en avais été témoin qu'une ou deux fois dans ma vie. Durant des heures, les éclairs zébrèrent le ciel en diagonale. Une sensuelle odeur d'ozone flottait dans l'air. Puis le ciel se soulagea de trombes d'eau. À partir de ce jour, il plut presque quotidiennement, la pluie entraînant vers le sol la pollution atmosphérique et remplissant d'eau douce les rivières et les lacs.

Le 1er septembre 1996, le champ d'ondes de forme créé par le R-2 était bien établi. À partir de ce jour-là, il n'y eut plus une seule alerte à la pollution, jusqu'à ce que l'armée de l'air américaine me demande d'interrompre le fonctionnement du R-2 pour voir ce qui se passerait.

J'ai donc arrêté l'appareil le 12 mai 1998. À la fin de ce même mois, la pollution atmosphérique était déjà revenue et la municipalité émit alors sa première alerte depuis 1996. Pendant la période des tests (en fait, j'avais installé un deuxième R-2 dans la ville de Phoenix même, en mars 1997, au moment où des résultats avaient commencé à se produire), les mesures d'hydrocarbures prises à Phoenix restèrent presque toutes en dessous de dix. Parfois, en plein centre-ville, il n'y avait aucune trace d'hydrocarbures. Malheureusement, le R-2 n'arrêtait pas les nitrates, ces éléments qui causent la pollution de la couche d'ozone. Toutes ces mesures ont été prises publiquement.

À la fin du test, je savais sans le moindre doute que c'était le R-2 qui avait accompli avec succès ce tour de force, mais, comme je l'ai mentionné plus haut, l'armée de l'air américaine, qui avait surveillé mes activités, entra en scène et me demanda de mettre fin à mes opérations. On voulait voir ce qui se produirait et en même temps on m'informa que l'Agence de protection de l'environnement n'autoriserait jamais l'utilisation du R-2. On me suggéra d'aller expérimenter mon appareil à l'extérieur des États-Unis, ce que je fis.

De juin 1996 à mai 1998, j'avais fait fonctionner le R-2 et obtenu des résultats incroyables, que la municipalité de Phoenix ne reconnaissait pas du tout.

Je me décidai finalement à envoyer une deuxième lettre à la Ville de Phoenix :

Ville de Phoenix
M. le maire, Skip Rimsza
200 W. Washington
Phoenix (Arizona) 85003

Le 7 mai 1998

Monsieur le maire,

En mai 1996 paraissait dans le quotidien Arizona Republic un article faisant état de la déplorable pollution qui affectait Phoenix, et soulignant à quel point cette pollution menaçait l'avenir de cette ville. Cet article rapportait que le gouverneur Fife Symington avait créé le Groupe de travail chargé des stratégies de l'ozone, dirigé par l'avocat Roger Ferland. Je joins cet article à ma lettre. M. Ferland y déclarait : «Nous envisagerons n'importe quoi, et je dis bien n'importe quoi, qu'il s'agisse de quelque chose de radical, de farfelu, de difficile ou de cher. Nous envisagerons tout ce qui est possible.»

C'est alors que je me suis entretenu avec M. Gibbs, qui fait partie de ce groupe de travail, au sujet du système de dépollution que nous utilisions à Denver, au Colorado, depuis 1995. Soit dit en passant, cette année-là, alors que notre système était en fonction à Denver, on enregistra dans cette ville les taux de pureté d'air les plus hauts jamais relevés.

M. Gibbs m'informa que notre appareil ne l'intéressait pas mais que, vu que le R-2 nécessitait moins d'un watt d'énergie pour fonctionner, aucune loi ne pouvait nous empêcher de mener nos expériences si tel était notre souhait. Nous avons précisé à M. Gibbs que nous ferions ces tests à nos frais. Il *refusa tout de même de nous aider. Nous lui avons ensuite demandé s'il voulait bien au moins observer ce que nous ferions et il refusa également. Il ne s'est pas montré très obligeant envers nous. Son comportement est venu contredire totalement ce que M. Ferland avait annoncé dans l'article. Des mois plus tard, quand nous avons voulu lui fournir les résultats des tests scientifiques effectués à Fort Collins, au Colorado, qui prouvaient que notre appareil était bel et bien efficace, il nous fit dire qu'il était trop occupé. Enfin, lorsqu'un responsable de l'armée de l'air, qui avait travaillé avec nous, l'appela pour lui parler, il exprima une fois de plus son absence d'intérêt. Le 4 juin 1996, à Cave Creek, nous avons installé un système minimal d'une portée de 50 kilomètres. Il faut trois jours à un tel système pour se mettre en marche et environ trois mois pour se stabiliser. Le 1er septembre 1996, l'appareil fonctionnait normalement. Une ville comme Phoenix devrait posséder un système d'au moins 10 unités, mais nous ne pouvions pas nous le permettre financièrement. Ne faire fonctionner qu'une seule unité pour une ville de l'envergure de Phoenix, c'est comme posséder une superbe voiture ayant seulement 25 chevaux-vapeur. Mais une seule unité valait mieux que pas de système du tout.*

Avant le 1er septembre 1996, la ville de Phoenix connaissait un nombre inhabituellement élevé d'alertes à la pollution et sa situation était sur le point d'être classée comme «grave» par l'Agence de protection de l'environnement. Après le 1er septembre 1996, il n'y a pas eu, à ma connaissance, une seule alerte et la pollution a sans cesse diminué. En mars 1997, nous avons installé une autre unité près de l'aéroport, ce qui a renforcé le système et en a augmenté les effets sur la ville de Phoenix.

Comme la base de l'armée de l'air de Kirkland, au Nouveau-Mexique, s'intéresse à nos travaux depuis quelque temps, elle effectue des tests avec notre équipement. Si cela vous intéresse de savoir ce que ces gens en pensent, vous pouvez appeler le lieutenant-colonel Pam Burr au 505-...-....

Nous vous faisons parvenir cette lettre pour vous informer que nous allons démonter le système à partir du 12 mai 1998. Nous l'avons laissé se désyntoniser depuis trois semaines. Au cours des 90 à 120 prochains jours, il est probable que la pollution atmosphérique revienne à son niveau d'avant juin 1996.

Vu la façon dont la Ville de Phoenix a réagi jusqu'à maintenant à la science que nous lui avons proposée nous ne nous attendons à aucune communication de sa part. Cependant, si vous estimez que nous pouvons vous être d'une aide quelconque en ce qui concerne l'élimination de la pollution, n'hésitez pas à nous contacter.

«Prenons soin de notre planète»

Dru Melchizédek
Directeur général

CC: Lt-col. Pam Burr
Arizona Republic
QED Research, llc
Gouverneur Jane Hull

C'est au cours de cette période que je compris peu à peu comment la conscience humaine interagissait avec le champ du R-2. Je découvris que le R-2 avait été physiquement créé à l'image du corps de lumière humain, aussi appelé Merkaba. Il est donc possible à une personne qui connaît la méditation du Merkaba ainsi que la vibration du «nuage de pluie» de combiner ces deux éléments et de reproduire l'effet du R-2 en se servant uniquement de la conscience.

Je pensais continuellement à cela. Un jour où j'enseignais le Merkaba en Australie, dans le cadre d'un atelier, un des participants me demanda: «Si le R-2 peut changer l'atmosphère au-dessus d'une zone, pourquoi une personne qui connaît le Merkaba ne pourrait-elle pas le faire?»

C'était exactement ce que je pensais!

Purifier l'air au moyen
du corps de lumière humain

Le nord de la côte est de l'Australie connaissait une terrible sécheresse. Je crois que c'était en 1997 ou 1998. Il y avait des feux de forêt partout, sans aucun espoir de rémission. L'air était chargé des émanations provenant des brasiers. Il était incroyablement sec!

Alors, avec ce participant et trois autres qui nous observaient, j'amorçai la méditation du Merkaba et j'émis la vibration de l'onde de forme d'un nuage de pluie dans l'atmosphère à des kilomètres à la ronde.

Rien ne se passa dans l'après-midi, mais, le lendemain matin, nous fûmes réveillés par le bruit de la pluie qui tambourinait sur le toit de fer-blanc de notre cabane. Il y avait des nuages et de la brume partout. Me levant d'un bond, je courus à la fenêtre pour regarder la pluie tomber en rideau tout autour de cette petite maison. Je me sentais comme un enfant tellement mon cœur débordait d'enthousiasme.

Je savais que ça avait marché. Cependant, nous n'avions fait l'expérience qu'une fois et cela aurait donc pu être une coïncidence. La pluie tomba sans arrêt pendant trois jours et elle n'avait toujours pas cessé quand j'eus à retourner aux États-Unis. Je reçus par la suite un appel d'un ami d'Australie qui me dit que la pluie avait continué pendant deux semaines. Tous les feux de forêt étaient éteints et le gouvernement avait déclaré la fin de la sécheresse.

Tout cela aviva mon intérêt. Cette expérience avait-elle réellement fonctionné? Un être humain pouvait-il vraiment changer le temps en méditant? Quelques mois plus tard, je me trouvais à Mexico, où j'enseignais le Merkaba à un groupe de personnes, et je leur racontai l'expérience que j'avais vécue en Australie. «Si vous pouvez le faire en Australie, pourquoi ne le feriez-vous pas ici à Mexico? Notre atmosphère est tellement polluée que nous pouvons à peine respirer.»

Je dois admettre que, ayant voyagé un peu partout sur la planète, je n'ai jamais connu d'endroit aussi pollué que cette ville. Dans la rue, sous l'effet de la pollution dense, les bâtiments étaient invisibles à deux coins de rue de distance. En fait, je ne pouvais même pas voir le ciel au milieu de la journée. J'avais l'impression de vivre sous un dôme brunâtre et, à chaque inspiration, je croyais respirer les gaz d'échappement d'un camion diesel. Ce serait assurément un bon test.

Accompagné de plus d'une quarantaine de témoins, je me rendis au centre-ville, jusqu'à une ancienne pyramide située à proximité de plusieurs autoroutes. Nous grimpâmes ensemble jusqu'à son sommet, d'où nous pouvions voir la ville sur 360 degrés, mais seulement sur une courte distance en raison de la densité de la pollution.

Au sommet de la pyramide, nous nous assîmes en cercle dans un endroit plat et recouvert d'herbe. Tous savaient ce que j'allais faire: une méditation en me servant de mon champ de lumière naturel comme d'une antenne pour émettre la vibration de l'onde de forme d'un nuage sur le point de relâcher la foudre. Je réglai ma montre, tout comme les autres, et commençai à méditer.

La pyramide de Mexico

Quinze minutes plus tard, un trou bleu apparut dans le ciel, directement au-dessus de ma tête. Tous les autres levèrent les yeux et montrèrent le ciel du doigt. Le trou se mit à grandir. Après quinze autres minutes de méditation, il avait un diamètre de trois à cinq kilomètres. C'était un trou parfaitement rond dans l'air pollué au-dessus de la ville, comme si, à l'aide d'un moule à découper, quelqu'un avait entaillé le ciel et enlevé le morceau.

Il restait un mur de nuage brun dans toutes les directions autour de nous. Par contre, là où nous étions, au milieu, l'air était pur et limpide. Il sentait les roses et un beau nuage rosâtre se forma dans le ciel au-dessus de nos têtes. C'était impressionnant!

Pendant trois heures et quinze minutes, l'ouverture resta telle quelle. Le gouvernement dépêcha des hélicoptères au-dessus du trou pour vérifier pourquoi il était là, mais je n'ai jamais entendu de commentaires à ce sujet. Une fois ce temps écoulé, je dis aux autres que j'allais arrêter de méditer et que nous observerions ce qui se passerait. Immédiatement après que j'eus cessé de méditer, le mur de pollution commença à se rapprocher rapidement de nous. En quinze minutes, il nous avait rejoints, nous emprisonnant de nouveau dans la terrible puanteur des gaz d'échappement de Mexico. Nous nous retrouvâmes encore sous un dôme de pollution qui nous empêchait de voir la ville.

Je me rappelle ce que je ressentais dans mon cœur alors que je revenais aux États-Unis en avion. Je savais sans l'ombre d'un doute que la conscience humaine était la réponse à tous nos problèmes et je pouvais à peine contenir mon enthousiasme. Par la suite, je répétai l'expérience deux fois en Angleterre et deux fois aux Pays-Bas. Cela fonctionna à la perfection chaque fois, devant une assistance d'au moins cinquante personnes. La seconde expérience en Angleterre changea radicalement ma vie.

Retrouver le monde intérieur dans le cœur

Je ne me souviens pas exactement en quel endroit d'Angleterre je me trouvais, mais nous étions sur une lande où le soleil n'avait pas brillé depuis plus de six mois. Toute la campagne était plongée dans un sempiternel brouillard qui rendait tout humide et détrempé. J'y enseignais le Merkaba à une cinquantaine de personnes. Le dernier jour de cet atelier qui en durait quatre, je proposai aux participants de faire la méditation visant à dépolluer l'air, à la différence qu'il ne s'agissait pas vraiment ici de pollution, mais seulement de brouillard. Une petite voix en moi me dit de ne pas m'inquiéter, de méditer et d'observer ce qui se passerait.

Il ne fut pas facile de convaincre ce groupe de Britanniques de sortir dans le brouillard et sous la pluie pour aller méditer en cercle sur de l'herbe mouillée. Ils finirent par accepter. Je pense qu'ils me croyaient un peu cinglé, mais qu'ils avaient tout de même confiance en moi.

Ils sortirent tous avec leur parapluie et un morceau de plastique noir sur lequel s'asseoir. Et nous voilà, tous les cinquante-six, moi inclus, assis en cercle sous la pluie et dans le brouillard, tenant chacun un parapluie pour nous protéger contre les éléments. Nous avions l'air de purs idiots!

En silence, je commençai à méditer, sachant pertinemment que quelque chose surviendrait, mais ignorant quoi. Après quinze minutes de méditation, nous vîmes une percée bleue se former au-dessus de nos têtes et prendre de l'ampleur, comme cela s'était déroulé à Mexico. Seulement, cette fois, le trou s'agrandit beaucoup plus vite et devint beaucoup plus important, jusqu'à atteindre 12 kilomètres de diamètre. Nous nous trouvions maintenant sous un ciel bleu limpide, le soleil brillant au-dessus de ce mur circulaire de brouillard d'environ un kilomètre d'épaisseur. C'est alors que «cela» se produisit.

Tout le monde dans le cercle eut la sensation de la présence de Dieu. J'en eus la chair de poule. Nous regardâmes vers le ciel, et la pleine lune brillait allègrement au-dessus de nos têtes. Mais elle était différente. Le ciel était si clair qu'on avait l'impression qu'il n'y avait aucune atmosphère. Autour de la lune se trouvait quelque chose que je n'avais jamais vu auparavant, mais dont j'avais entendu parler : des étoiles. Des étoiles autour de la lune en plein jour ! C'était troublant.

Soudain mon attention fut attirée vers la terre. Je m'aperçus que tout autour de nous une multitude de petits animaux – écureuils, rongeurs, chiens – nous observaient. Beaucoup d'oiseaux étaient perchés dans les arbres et gazouillaient doucement. Je regardai les autres et me rendis compte qu'ils étaient dans un état modifié de conscience. Je souris en pensant à saint François d'Assise alors que ces petites bêtes essayaient toutes de s'approcher le plus possible de nous, humbles humains.

Je me rappelle avoir eu la pensée suivante : «J'aimerais bien qu'il fasse soleil. Il fait un peu froid.» Immédiatement, notre cercle fut illuminé par un rayon de soleil. Je me tournai immédiatement vers la source de lumière et vis qu'un petit miracle avait eu lieu. Le mur de brouillard cachait le soleil, mais, dès l'instant où j'avais émis le désir d'avoir un peu plus chaud, un trou s'était formé dans le mur exactement où le soleil se trouvait, laissant ainsi passer un rayon solaire à travers lui, comme le faisceau d'une torche électrique fendant l'obscurité du brouillard nocturne. Ce trou suivit le soleil pendant une heure et demie et notre cercle fut baigné de soleil pendant tout le temps que nous avons médité.

À un moment donné, je décidai que nous en avions vu assez, compte tenu du fait que le soleil devait se coucher dans vingt minutes. Je dis à tout le monde que j'allais arrêter de méditer. Au même moment, le trou se referma sur lui-même, et en quelques minutes nous fûmes de nouveau enveloppés par la brume et la pluie sur la lande.

En nous levant, nous fûmes les témoins d'un autre véritable miracle, selon la définition que tout le monde attribue à ce terme. Un homme assistait à l'atelier avec sa femme ; il se déplaçait en chaise roulante depuis plus de dix ans. Il pouvait se lever, mais pendant quelques secondes seulement, pour changer de position ou de chaise, et avec l'aide de sa femme chaque fois. Quand tous les participants quittèrent le cercle, cet homme se leva et se mit à marcher avec les autres pour revenir à l'auberge, laissant sa chaise roulante derrière! Il marchait! C'était impossible! Il vacillait un peu, bien sûr, mais il marchait tout de même.

Sa femme en resta bouche bée. La joie inonda notre cœur et nous fit oublier ce qui s'était passé pendant la méditation. Cette dame me raconta plus tard que non seulement son mari marchait, mais que sa colonne vertébrale s'était redressée et qu'il avait grandi de 15 centimètres.

En tant que guérisseur, j'ai souvent assisté à des miracles dans ma vie. Mais, malheureusement, souvent la maladie revient le jour suivant. Cependant, le lendemain de cette méditation, cet homme arriva sur ses jambes à la table du petit-déjeuner, avec sa femme rayonnante à ses côtés. Par ailleurs, je connaissais une amie à eux qui, chaque année par la suite, m'a téléphoné pour me donner de ses nouvelles. Cinq ans plus tard, il marchait encore normalement.

Voilà un homme qui a connu la vraie nature de la réalité à la suite d'une expérience très particulière dans une lande anglaise. Je crois qu'il a réalisé que tout n'est que lumière et que le monde est créé à partir de l'âme humaine. Il a compris qu'il pouvait guérir sa maladie avec sa propre conscience, et c'est ce qu'il a fait.

❤   ❤   ❤

Cette expérience vécue en Angleterre changea également ma propre vie, qui prit un tournant vers un éveil dont je n'étais pas encore conscient. Je réalisai peu à peu que l'âme humaine abrite un «quelque chose» de bien plus vaste que tout ce que la science ou la raison ont jamais pu imaginer. Le monde extérieur est créé par un monde intérieur qui, je le savais par intuition avec certitude, se situe dans le cœur.

Je savais que ce «quelque chose» se trouvait dans le cœur humain, car lorsque j'étais assis dans mon champ de lumière et que j'émettais la vibration d'un nuage de pluie, je sentais que cette vibration émanait d'un endroit bien précis dans mon cœur. Cela pouvait se produire grâce à l'amour que je porte à la Terre Mère. Je me préparai alors peu à peu à une nouvelle compréhension de ma relation avec la vie.

Chapitre deux

Voir dans le noir

Une femme aveugle qui peut voir

Les enfants sensitifs de Chine

Inge Bardor voit avec les mains et les pieds

Les enfants suprasensitifs de Chine

L'Académie internationale de développement humain, près de Moscou

Jimmy Twyman et les enfants suprasensitifs de Bulgarie

Une femme aveugle qui peut voir

*I*l y a quelques années, mon ami Pete Carroll, alors l'entraîneur principal de l'équipe de baseball des Jets de New York, n'arrêtait pas de me répéter qu'il fallait absolument que je rencontre une certaine femme de sa connaissance qui sortait vraiment de l'ordinaire. Il sentait qu'elle avait quelque chose à dire que je trouverais important. J'étais tellement occupé que je reportai cette rencontre pendant plusieurs mois. Puis, un jour, je lui demandai de donner à cette femme mon numéro de téléphone et de lui dire de m'appeler. Elle accepta, et c'est ainsi que j'entrai en contact avec Mary Ann Schinfield, une femme exceptionnellement inhabituelle. (J'en ai fait mention brièvement dans le premier volume de *L'ancien secret de la Fleur de vie*.)

Mary Ann était complètement aveugle et n'avait, concrètement parlant, pas d'yeux. Elle ne voyait absolument rien. Elle pouvait cependant effectuer toutes les tâches quotidiennes normales, y compris lire un livre et regarder la télévision, sans l'aide de quiconque.

La NASA fit des tests poussés pour déterminer comment elle pouvait «voir». On lui demanda ce qu'elle voyait dans sa tête alors qu'elle était assise dans une pièce. Elle me raconta qu'elle avait répondu qu'elle se déplaçait dans l'espace et observait sans arrêt ce qui se passait dans le système solaire. Chose intéressante par-dessus tout, elle précisa qu'elle était limitée à notre système solaire et ne pouvait pas en sortir.

Il va sans dire que les chercheurs de la NASA ne la crurent pas, et ils mirent donc au point un test pour vérifier si elle disait la vérité. On lui demanda de se déplacer le long d'un satellite en orbite et de lire un numéro de série inscrit quelque part sur sa carlingue. Je ne sais pas exactement de quoi il s'agissait, mais toujours est-il qu'elle leur lut le numéro en question et qu'à partir de ce moment-là elle fut attachée d'office à la NASA. Ils ne se sont jamais séparés d'elle et font encore appel à ses dons pour leurs propres visées. Je ne pense pas que j'aurais joué ce jeu avec eux, mais elle, si.

Peu importe! Un jour, elle me téléphona. Par la suite, nous avons bavardé chaque semaine au téléphone sur une période de quatre mois. J'ai trouvé incroyablement intéressante sa vision de la nature de la réalité dans laquelle nous vivons, qu'elle percevait sous la forme d'une série d'images provenant de son mental. Elle n'a jamais pensé que cette réalité était «réelle», comme la plupart d'entre nous le pensons. Chaque week-end, nous avons discuté au téléphone sur presque tous les sujets qu'on peut imaginer, toujours en partant du point de vue de ses «images».

Un jour, environ deux mois après le début de nos conversations, Mary Ann me demanda si j'aimerais «voir» avec ses yeux. Je n'hésitai pas une seule seconde et lui demandai ce que je devais faire. «Allongez-vous simplement sur votre lit et rendez la pièce le plus sombre possible.»

Ma femme, Claudette, qui avait suivi la conversation, baissa les stores et éteignit les lumières. La nuit était avancée, en pleine phase de nouvelle lune, et il faisait donc déjà très sombre de toute façon. Je ne pouvais pas voir ma main devant mes yeux.

Mary Ann me demanda ensuite de prendre un oreiller et d'y poser le combiné pour avoir les mains libres, ce que je fis. Je me trouvais alors dans le noir complet, les yeux fermés, attendant que quelque chose se passe. Je me souviens que je me sentais même un peu nerveux, car je savais pertinemment que j'allais faire une expérience nouvelle.

Environ une minute plus tard, Mary Ann me demanda si je voyais quelque chose. Non, je ne voyais rien. Seulement le noir habituel quand je ferme les yeux. Environ cinq minutes plus tard, elle me posa encore la même question et je répondis que je ne voyais toujours rien. Mais, peu après, une image fit soudainement son apparition sur mon écran intérieur, comme si on avait allumé une lumière. C'était l'image d'un écran de télévision. Cette image était si réelle que je pouvais à peine croire à ce qui se passait.

Elle persistait et ma vision intérieure continuait de scanner cette télévision intérieure, car il s'agissait de quelque chose que je n'avais jamais vu de ma vie. Mary Ann sentit d'une façon ou d'une autre que j'étais «branché» sur sa vision puisqu'elle me dit: «Vous voyez maintenant, n'est-ce pas?» Je bafouillai seulement: «Ouais! C'est quoi?» Elle répondit: «C'est juste une autre façon de voir. Voyez-vous les petits écrans tout autour du grand écran?»

Au centre, j'aperçus un grand écran qui semblait se trouver à environ 35 centimètres de mes yeux. Il y avait plein de petits écrans sur son pourtour, peut-être sept dans le haut et le bas, et six sur les côtés. Des images bougeaient rapidement sur ces petits écrans, dont chacun donnait de l'information détaillée provenant de l'écran central.

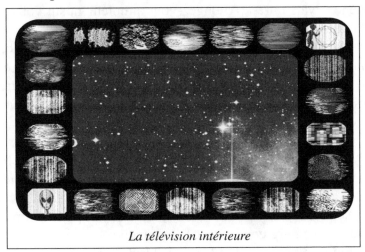

La télévision intérieure

Mary Ann me demanda de diriger mon attention vers le petit écran se trouvant complètement en haut à droite et de ne regarder que celui-là. Défilaient sur cet écran des images d'êtres vivants mêlés à des formes géométriques. Par exemple, je voyais un chien suivi d'un arbre et d'un cube, puis le chien avec une fleur et un octaèdre ou toute autre figure géométrique. Le déroulement des images se poursuivait à une telle vitesse que mon esprit pouvait à peine les déchiffrer.

Mary Ann me dit que ce petit écran lui faisait voir ce qui se trouvait à proximité de son corps physique. Même si elle était aveugle, c'est de cette façon qu'elle pouvait voir! Renversant!

Elle m'invita ensuite à reporter mon attention sur le petit écran se trouvant en bas à gauche. Là aussi défilaient rapidement des images mouvantes, encore plus étranges que les autres. Elles représentaient des gens qui n'avaient pas l'air humain. Parfois même, des dauphins apparaissaient. Mary Ann me confia qu'il s'agissait du système de communication lui permettant d'entrer en contact avec ses «frères et sœurs» de l'espace et des autres dimensions. Elle parlait en fait d'exraterrestres!

Avant même que j'aie le temps de penser à ce que j'avais vu, elle me demanda de diriger mon regard intérieur vers l'écran central et de lui décrire ce que je voyais. Je me retrouvai en train de regarder par une fenêtre tout à fait réelle et qui n'avait rien d'un écran de télévision. Par cette fenêtre, je vis l'espace infini et des milliers d'étoiles partout. Jamais auparavant je n'avais vu les étoiles de cette façon. Je pouvais aussi «sentir» l'extrême profondeur de l'espace dans mon corps. C'était excitant, ahurissant!

À cette époque, les chercheurs de la NASA travaillaient avec Mary Ann. Ils lui faisaient repérer les 21 fragments de la comète *Shoemaker-Levy 9* qui étaient sur le point de s'écraser sur Jupiter. C'était en 1994. Les fragments de la comète se déplaçaient alors derrière le Soleil et allaient finir leur course sur la surface de Jupiter, destin astronomique tragique.

Mary Ann me dit: «Drunvalo, nous allons tourner vers la droite. Vous le sentirez dans votre corps, mais ne vous en faites pas.» Immédiatement, je sentis effectivement que je tournais mon corps, mais, bien entendu, j'étais toujours allongé sur mon lit. La vision sur l'écran central se mit à changer, comme si je me trouvais dans une capsule spatiale tournant dans le sens des aiguilles d'une montre.

Et là, directement devant moi, apparut un des fragments de la comète que le monde entier observait de très loin. Je pense que nous étions à moins de 12 mètres de cette boule de feu, de glace et de poussière. Elle était d'une brillance extraordinaire et semblait stationnaire. Je fixai cette «chose» comme si je regardais un film.

Finalement, Mary Ann se mit à parler: «Je travaille en ce moment pour la NASA. Ils veulent que je réponde à certaines de leurs questions concernant les fragments de cette comète. Mais, pour l'instant, je voulais simplement que vous voyiez comme je vois. Qu'en pensez-vous?»

Immédiatement, mon attention se dirigea vers un autre plan de conscience. Je réalisai que Mary Ann et moi-même voyions de la même façon que tous les humains, c'est-à-dire que nous pouvions voir ce qui se trouvait devant nous mais pas derrière nous, à moins de nous retourner. Des expériences que j'avais faites autrefois avec d'autres formes de vie m'avaient appris que les extraterrestres peuvent voir dans toutes les directions simultanément.

«Mary Ann, qu'y a-t-il derrière vous? Pas dans la réalité que vous me montrez, mais dans la réalité supérieure?» Elle l'ignorait. «Vous savez, je n'ai jamais regardé. Je n'y ai jamais pensé.» Je lui demandai alors si elle voulait que je regarde. Elle m'en donna la permission. Je lui demandai de rester immobile pendant que je regarderais derrière elle.

Je me retournai donc pour voir, et ce que je vis m'ébranla tellement que, encore maintenant, je me sens tout drôle quand je raconte mon expérience. Mary Ann avait une conscience qui n'était pas d'ordre humain. Derrière elle, il y avait la quatrième dimension, et devant, la troisième. Elle avait une conscience qui pouvait communiquer avec ces deux dimensions. Jusque-là, je n'avais jamais cru cela possible.

Il est presque impossible de relater cette expérience à moins d'avoir fait aussi l'expérience de la quatrième dimension. Tout ce que je peux dire, c'est que l'arrière de sa conscience était absolument unique en son genre. Cette femme sortait de l'ordinaire de bien d'autres façons que par le fait qu'elle pouvait voir même en étant aveugle. Elle n'était pas originaire de la Terre, c'était évident pour moi. J'eus la conviction que si l'on testait son ADN, on y trouverait des anomalies qui prouveraient que son origine n'appartenait pas à l'histoire biologique de la Terre.

Je poursuivis mes échanges téléphoniques avec Mary Ann pendant deux autres mois. Après cette expérience des écrans, elle voulait s'exprimer seulement par images et symboles, qu'elle me demandait de retranscrire. Ce qu'elle me communiquait ressemblait aux images qui défilaient sur le petit écran se trouvant en haut à droite du grand écran central : des images d'êtres vivants accompagnés de formes géométriques. D'une façon ou d'une autre, je savais toujours ce qu'elle me disait, même si mon mental avait de la difficulté à comprendre.

Puis, un jour, j'eus l'impression, tout comme elle, que notre relation touchait à sa fin. Nous nous sommes dit adieu. Je me souviens de m'être fait la réflexion que ces expériences ne correspondaient à rien de ce que je savais. Je les reléguai donc dans ce que j'appelle ma «filière bizarroïde», attendant de recevoir plus d'informations pour pouvoir établir un lien entre elles et d'autres connaissances nouvelles. Mais, en fait, je n'avais absolument aucune attente. Cette expérience alla donc rejoindre toutes les autres expériences bizarres et je poursuivis ma vie.

Les enfants sensitifs de Chine

Bien que j'aie déjà abordé ce sujet dans ma série de livres *L'ancien secret de la Fleur de vie*, je crois qu'il est important d'en reparler ici pour tous ceux qui ne les ont pas lus. En janvier 1985, j'ai trouvé dans le magazine *Omni* un article qui traitait d'enfants sensitifs en Chine possédant des pouvoirs extraordinaires. Vu que l'article venait d'*Omni*, je restai ouvert à ce qu'il rapportait.

Selon toute apparence, le gouvernement chinois avait demandé à la direction du magazine d'envoyer une équipe sur place pour faire un reportage sur ces enfants. On prétendait qu'ils pouvaient voir avec diverses parties de leur corps alors que leurs yeux étaient bandés : avec leurs oreilles, le bout de leur nez, leur bouche et parfois leur langue, leurs cheveux, leurs aisselles, leurs mains et leurs pieds.

En 1974, on avait trouvé en Chine un premier jeune garçon qui pouvait voir avec ses oreilles. Les yeux entièrement recouverts d'un bandeau, ce garçon pouvait voir quand même en dirigeant ses oreilles vers les objets qui l'entouraient. Puis on trouva d'autres enfants, pour la plupart âgés de moins de 14 ans, qui pouvaient voir avec d'autres parties de leur corps.

Cela intrigua au plus haut point la direction du magazine *Omni*, qui, en 1984, dépêcha une équipe de reporters en Chine pour observer ces enfants, dont un petit groupe fut mis à leur disposition par le gouvernement chinois. L'article d'*Omni* insistait sur le fait que les tests avaient été conduits de façon très attentive, pour que les observateurs ne soient pas bernés et comme si le gouvernement avait observé secrètement le moindre de leurs mouvements.

Un de ces tests consistait à choisir un livre au hasard dans une pile. Puis quelqu'un devait en arracher une page au hasard et aussitôt la rouler en boule avant que quiconque ne puisse la lire. Cette boule était ensuite placée sous l'aisselle d'un des enfants, choisi lui aussi au hasard. Chaque fois, sans exception, les enfants chinois ont pu lire mot pour mot ce qui était inscrit sur les pages chiffonnées. Comment cela était-il possible ? Le groupe de chercheurs d'*Omni* n'en avait aucune idée. Tout ce qu'il pouvait conclure, après avoir testé les enfants de bien des façons, c'était que le phénomène était manifestement réel et qu'il ne s'agissait pas d'une supercherie.

Inge Bardor voit avec les mains et les pieds

Dans le second volume de la série *L'ancien secret de la Fleur de vie,* j'ai raconté comment Inge Bardor avait prouvé, au cours d'une conférence que je donnais à Denver en 1999, qu'elle pouvait voir avec ses mains et ses pieds.

J'avais rencontré Inge dans un atelier sur la méditation du Merkaba que j'animais à Mexico. Le troisième jour de cet atelier qui en durait quatre, j'ai fait mention des enfants chinois qui pouvaient voir avec diverses parties de leur corps.

Soudain, une jeune fille de dix-huit ans se leva en disant: «Drunvalo, moi aussi je peux le faire. Je peux voir avec mes mains et mes pieds quand mes yeux sont complètement bandés. Aimeriez-vous que je fasse une démonstration?» Cette intervention était totalement inattendue. Bien sûr que je voulais qu'elle fasse cette démonstration devant moi et ce groupe d'une centaine de personnes!

Très belle et tout habillée de blanc, Inge se dirigea vers l'estrade où je me trouvais et demanda immédiatement s'il y avait des sceptiques qui ne croyaient pas qu'elle pouvait voir lorsque ses yeux étaient bandés. Deux jeunes hommes se levèrent.

Inge les invita à venir la rejoindre sur l'estrade. Elle leur demanda alors de replier plusieurs fois sur eux-mêmes des mouchoirs en papier et de les mettre sur leurs yeux d'une certaine façon, puis elle enveloppa leur tête d'une longue écharpe pour bloquer toute lumière. Tous deux confirmèrent qu'il faisait parfaitement noir. Inge fit la même chose pour elle-même, les deux hommes achevant de retirer écharpe et mouchoirs au moment où elle finissait de nouer la sienne. Elle prit le temps de les laisser s'assurer qu'elle ne trichait pas et que son écharpe était bien hermétique. Lorsqu'ils furent convaincus qu'elle ne voyait rien, elle put commencer.

Après s'être assise sur une chaise à dossier droit, les pieds à plat par terre, elle demanda si quelqu'un dans la salle avait dans son portefeuille ou son sac une photo dont elle pourrait se servir. Une femme sortit une photo de son sac à main et la lui tendit.

Inge la prit et la retourna immédiatement pour qu'elle soit à l'endroit. Le bout de ses doigts parcourut la surface de la photo pendant trois secondes, puis elle se mit à décrire au groupe ce qu'elle y avait «vu». C'était la photo d'un salon où quatre personnes étaient assises sur un canapé. Un grand tableau était accroché au mur derrière le canapé et il n'y avait pas grand-chose d'autre. c'était une photo ordinaire, normale.

Inge demanda: «Voulez-vous que je vous dise quelque chose au sujet des gens ou de la maison?» Cela aussi était inattendu. La femme qui avait donné la photo à Inge lui demanda donc des précisions sur les personnes y figurant. Inge lui donna leurs noms et, si je me souviens bien, leur âge respectif. Surprise qu'elle puisse savoir tout cela, la femme lui demanda alors si elle pouvait se déplacer dans cette maison.

«J'avance à droite dans le corridor. La première porte sur la gauche est celle de votre chambre.» Inge «entra» dans la chambre et la décrivit avec exactitude, énumérant même les objets se trouvant sur la table de nuit. Ensuite, elle «passa» dans la salle de bains, en face, et la décrivit aussi à la perfection. Médusée, la femme confirma que tout ce qu'avait dit Inge était exact.

À ce moment-là, un des deux sceptiques se leva brusquement en prétendant que tout cela était un canular et qu'il allait le prouver. Il enfonça sa main dans la poche arrière de son pantalon et en tira son portefeuille, d'où il sortit son permis de conduire qu'il tendit à Inge en le tenant tourné vers lui et à l'envers, en disant: «O.K. C'est quoi, ça?»

Sans hésitation, Inge remit le document à l'endroit et le retourna vers elle. «C'est votre permis de conduire. Que voulez-vous savoir?» L'homme répondit: «Lisez-moi le numéro.» Inge lui lut le numéro, son adresse et d'autres informations figurant dessus. Mais il n'était toujours pas convaincu.

Il dit à Inge : «Dites-moi quelque chose que je suis seul à savoir. Alors je vous croirai.» Un petit sourire aux lèvres, Inge s'exécuta : «Vous êtes ici avec votre petite amie, mais vous avez une autre petite amie là où vous habitez, qui s'appelle... (Inge donna son nom à l'auditoire) et vous les tenez bien à l'écart l'une de l'autre pour qu'elles ne sachent rien l'une de l'autre.» Le jeune homme arracha son permis de conduire des mains d'Inge et retourna s'asseoir près de sa petite amie qui semblait bouleversée par la révélation. Il ne dit plus un mot.

Inge continua de faire la preuve de ses capacités jusqu'à ce qu'il fût évident que celles-ci ne se limitaient pas à voir avec les yeux bandés ce qu'il y avait sur une photo qu'elle tenait dans ses mains. Elle pouvait même donner le nom de la personne qui avait pris la photo et décrire les vêtements qu'elle portait alors, ou encore dire ce que celle-ci pensait au moment où elle avait appuyé sur le déclencheur. Nous étions tous médusés par ce à quoi nous venions d'assister. Le phénomène était bel et bien réel, mais que se passait-il exactement? (Grâce à Inge, je découvris qu'il existait près de Mexico deux écoles consacrées aux enfants qui peuvent «voir» avec différentes parties de leur corps ou qui possèdent d'autres dons de médiumnité. Inge connaissait au moins 1 000 enfants mexicains qui pouvaient «voir» et «savoir» comme elle.)

♥ ♥ ♥

Lorsque, par la suite, Inge et sa mère, Emma, vinrent nous rendre visite en Arizona pour quelques jours, nous décidâmes de faire certains tests. C'était vraiment amusant d'explorer le potentiel humain de si près. Ce que bien des gens prennent pour des supercheries, j'en étais le témoin oculaire, tout comme mes deux filles, Mia et Marlee, âgées respectivement de sept et huit ans à l'époque.

En silence, Mia avait attentivement regardé Inge « voir » pendant plusieurs heures. Finalement, n'en pouvant plus,

elle dit: «Je veux faire ce que tu fais, s'il te plaît!» Inge se
tourna vers elle, la regarda dans les yeux et lui dit: «Mia,
n'importe qui peut faire ça. Aimerais-tu, toi aussi, voir
comme je vois?»

Mia se mit à trépigner de joie: «Oui! Oui! Oui!» Inge
enleva alors son bandeau et les mouchoirs repliés, et en cou-
vrit les yeux de Mia. Elle demanda ensuite à cette dernière si
elle voyait de la lumière et ajusta le bandeau jusqu'à ce que
Mia l'assure qu'elle ne voyait que du noir.

Inge feuilleta des magazines pendant quelques minutes,
jusqu'à ce qu'elle trouve la photo qui lui convenait, c'est-à-
dire celle, s'étalant sur deux pages, d'un rhinocéros traversant une rivière bleue. La photo semblait avoir été prise en
Afrique. La jeune fille plaça le magazine grand ouvert sur les
genoux de Mia et mit ses mains sur le bord de la photo pour
que ma fille puisse savoir où celle-ci se trouvait. Ensuite, elle
demanda simplement à Mia de regarder dans l'obscurité.

Quelques minutes plus tard, Inge demanda à Mia ce
qu'elle voyait. Mia répondit qu'elle ne voyait rien, que tout
était noir. Inge lui demanda de continuer à regarder. Environ
cinq minutes s'écoulèrent, puis Inge se rapprocha de Mia et
posa ses doigts sur son épaule. Aussitôt, Mia s'écria: «Inge,
je vois! C'est la photographie d'un rhinocéros qui traverse
une grande rivière bleue!»

Il était évident que Mia pouvait alors voir comme Inge. Je
demandai à cette dernière si elle avait touché l'épaule de Mia
à un endroit spécifique. Elle acquiesça et précisa qu'elle
croyait être devenue une sorte d'antenne pour Mia. À l'école
où elle avait appris à faire cela, dit-elle, on l'avait aidée à voir
la première fois en lui touchant l'épaule de cette manière.

À un autre moment, alors qu'Inge et moi bavardions simplement, je lui demandai de quoi ça avait l'air dans sa tête
quand elle «voyait». Elle hésita à répondre, mais j'insistai:
«D'accord, mais c'est un peu bizarre. C'est pour cette raison
que je ne voulais pas en parler. Ce que je vois ressemble un
peu à un écran de télévision, avec plein de petits écrans

autour de l'écran central. Les petits écrans me précisent ce qu'il y a dans le centre.»

C'était bien la dernière chose à laquelle je m'attendais. C'est comme si j'avais reçu un coup de casserole sur la tête. Le souvenir de Mary Ann afflua à mon esprit. Je savais exactement ce dont parlait Inge. Je n'avais cependant jamais fait le rapprochement entre l'écran intérieur de Mary Ann et les enfants sensitifs. J'en restai muet pendant quelques minutes.

Cela signifiait que je devais complètement revoir tout ce que je savais sur ces enfants. Était-ce bien réel? Tous les enfants extrêmement sensitifs voyaient-ils un écran de télévision? Aux dires d'Inge, c'était le cas pour au moins un millier d'enfants mexicains.

Les enfants suprasensitifs de Chine

Pendant la période où je travaillai avec Inge Bardor, je lus les travaux de recherche de Paul Dong et Thomas E. Raffill, les auteurs du livre *China's Super Psychics* [«Les suprasensitifs de Chine»]. Selon eux, le gouvernement chinois a testé plus de cent mille enfants ayant été déclarés suprasensitifs et pouvant «voir» sans utiliser leurs yeux.

Le gouvernement chinois a fondé des écoles pour accueillir ces jeunes et leur donner une formation spéciale. En fait, on enseignait aux enfants en même temps qu'on les étudiait pour lever le voile sur le grand mystère qu'ils constituaient pour la science. Paul Dong relate comment ces enfants chinois effectuaient des prouesses parapsychologiques incroyables alors que les scientifiques du gouvernement conduisaient leurs expériences avec eux, en vérifiant tout afin qu'il n'y ait pas de duperie.

Voici un exemple d'expérience. On installait une table nue dans un endroit dégagé. Des caméras vidéo étaient prêtes à filmer l'expérience et des scientifiques chevronnés avaient été conviés pour surveiller les moindres mouvements des enfants. Un des scientifiques plaçait un flacon de capsules scellé, genre vitamines, au centre de la table, et une pièce de monnaie, ou un autre objet de la même taille, un petit caillou par exemple, près du bord de la table. On permettait à chaque enfant de s'approcher suffisamment de la table, mais pas au point de pouvoir toucher les objets se trouvant dessus. Grâce à ses dons parapsychologiques, l'enfant faisait passer les capsules à travers les parois de la bouteille et les faisait se déposer sur la table, alors que l'autre objet, pièce de monnaie ou petit caillou, se déplaçait en flottant dans l'air vers le flacon vide toujours scellé et traversait sa paroi de verre pour se retrouver dedans. De toute évidence, il ne s'agit pas là d'une prouesse exceptionnelle puisque plus de cinq mille enfants chinois l'ont accomplie devant des scientifiques.

Par contre, une petite fille de six ans fit la démonstration de dons parapsychologiques particuliers devant des milliers de gens. Avant d'entrer dans la salle, chaque spectateur recevait un bouton de rose. La petite fille entrait en scène, faisait des mouvements avec ses mains et tous les boutons s'ouvraient pour devenir de belles roses épanouies en moins de quelques minutes. Si c'était une supercherie, alors c'en était vraiment une bonne!

Il y eut plusieurs démonstrations différentes des dons de ces enfants, mais disons pour l'essentiel qu'il se passait incontestablement en Chine et au Mexique quelque chose sortant de l'ordinaire. Il me fallait maintenant découvrir s'il s'agissait d'un phénomène mondial ou s'il était limité à ces deux pays.

● ● ●

Étant donné que Mary Ann et Inge utilisaient un même écran intérieur pour voir, il fallait que je demande à Paul Dong, qui avait étudié de près les enfants suprasensitifs, ce qui se passait dans leur cas. (Depuis 1985, des recherches approfondies ont été menées en Chine sur le concept d'une conscience supérieure et sur les phénomènes parapsychologiques chez les enfants. Cette recherche a même abouti dans des magazines scientifiques prestigieux comme le journal *Nature* et d'autres du genre. C'est donc un sujet très étudié et attesté par de nombreuses sources.)

J'appelai donc Paul Dong en Californie, où il vivait, et nous parlâmes pendant deux heures. Vers la fin de la conversation, je lui posai la question qui me brûlait les lèvres et à laquelle je voulais une réponse : «Paul, qu'est-ce que les enfants suprasensitifs chinois voient lorsqu'ils ferment les yeux? Je veux dire dans leur tête.»

Paul réagit tout d'abord comme Inge l'avait fait, prétextant que c'était quelque chose d'un peu étrange, et changea de sujet. Finalement, après que je l'eus quasiment harcelé pendant dix minutes, il lâcha le morceau : «Drunvalo, je n'ai jamais vu ce qu'ils voient, mais ils m'ont dit qu'ils voyaient une sorte d'écran de télévision sur lequel leur viennent des images.» Immédiatement, je lui demandai s'ils voyaient aussi de plus petits écrans autour de l'écran central. Il me répondit qu'il n'était pas au courant de ce détail, que les enfants ne lui en avaient jamais parlé.

Dorénavant, je savais que les enfants suprasensitifs chinois voyaient eux aussi une sorte d'écran de télévision. Par contre, je ne savais trop si c'était le même. Tout cela était très excitant! Peut-être étais-je tombé sur un phénomène vraiment universel. J'étais donc déterminé plus que jamais à découvrir la vérité.

L'Académie internationale de développement humain, près de Moscou

Kostya Kovalenko, un des journalistes et rédacteurs du webzine spirituel *The Spirit of Ma'at*, qui avait lu un de mes articles sur les enfants suprasensitifs et sur l'écran intérieur, m'apprit qu'il existait près de Moscou une école où on enseignait aux enfants à voir cet écran intérieur et à aller encore plus loin dans l'utilisation des facultés parapsychologiques. Les autorités de cette école faisaient des affirmations qui, si elles s'avéraient exactes, pourraient changer le monde à tout jamais.

Non seulement ces enfants pouvaient-ils voir cet écran intérieur et des objets extérieurs sans leurs yeux, mais ils pouvaient aussi voir défiler sur leur écran intérieur un livre qu'ils avaient tenu dans leurs mains pendant seulement quelques minutes. Une fois sur l'écran, le livre y défilait comme sur un écran d'ordinateur. Les enfants pouvaient ainsi lire le texte et regarder les illustrations incluses. Encore plus étonnant, ils connaissaient immédiatement tout le contenu du livre.

L'homme qui a fondé et qui dirige cette école, l'Académie internationale de développement humain, se nomme Viacheslav Bronnikov. La réputation et les réalisations de cette école sont de toute évidence parvenues jusqu'à Washington puisque Hillary Clinton, alors première dame des États-Unis, s'est rendue à Moscou pour observer l'école de près. Y a-t-elle appris quelque chose? C'est peut-être de cette façon qu'elle est devenue sénatrice de l'État de New York!

Au cours des mois qui suivirent, Kostya m'apprit qu'il existait en Russie deux autres écoles qui enseignaient la même chose, mais en recourant à des techniques différentes. C'est alors que j'ai commencé à réaliser que j'avais affaire à un phénomène beaucoup plus répandu que je n'aurais pu l'imaginer au début.

En 1999, je me rendis moi-même à Moscou, au Kremlin en particulier, où j'avais été invité à parler du corps de lumière humain, le Merkaba, à l'Académie des sciences de la Russie. Là, j'interrogeai les membres de l'Académie sur les enfants suprasensitifs. Ils m'apprirent qu'il y avait des milliers de ces enfants en Russie et qu'ils étaient maintenant dans la trentaine. Le gouvernement russe était au courant de l'existence de tels enfants depuis aussi longtemps que le gouvernement chinois, c'est-à-dire depuis le début des années 70. Quelle révélation! Et dire que j'avais tout d'abord pensé que Mary Ann était un imposteur!

Jimmy Twyman et les enfants suprasensitifs de Bulgarie

Des milliers de gens connaissent James Twyman, cet homme que l'on surnomme le « troubadour de la paix » et qui parcourt le monde en chantant des chansons pacifistes. Il est souvent arrivé, pendant que Jimmy chantait, que d'importants mouvements de paix s'amorcent entre des gouvernements. Il y a deux ans, j'ai rencontré James Twyman alors qu'il accompagnait mon vieil ami Gregg Braden, venu me rendre visite. Nous avons parlé des enfants suprasensitifs, mais, à l'époque, Jimmy ne savait rien d'eux et n'en avait jamais rencontré.

Le temps passa. Puis, un beau jour, ces enfants entrèrent dans sa vie. Ce jour-là, il donnait une allocution à un petit groupe de gens chez un particulier, où seulement des adultes étaient présents. Peu après le début de son allocution, cependant, un jeune garçon d'une douzaine d'années fit son apparition dans la pièce et alla s'asseoir tout à côté de Jimmy pendant que ce dernier parlait.

Ce jeune garçon attira son attention, au point que, peu après, il réalisa qu'il donnait son allocution uniquement pour cet enfant. Plus tard, tous deux amorcèrent une conversation au cours de laquelle Marcos, le jeune garçon, fit quelque chose à Jimmy, qui se mit à voir cet écran intérieur. Jimmy n'avait jamais rien vu de tel, mais se rappelant ce que je lui avais dit, il me téléphona le soir même pour me parler de cet événement extraordinaire.

Ce modeste début conduisit Jimmy à une aventure incroyable, qu'il relate dans son livre intitulé *Emissary of Love* (*Émissaire de l'amour*, Ariane Éditions). Il y parle entre autres de son voyage en Bulgarie, pays d'origine de Marcos, où il découvrit un monastère juché dans les montagnes, où les moines formaient les enfants à voir cet écran intérieur ainsi que des objets extérieurs avec diverses parties de leur corps.

Ces enfants communiquent dorénavant par télépathie avec Jimmy pour lui indiquer comment le monde peut trouver la paix. Leur message principal est que la paix réside en chacun de nous et que nous sommes en fait des messagers de l'amour. Partant de cette prémisse, ils nous posent la question suivante: «Si nous nous considérons comme des messagers de l'amour, alors, sachant cette vérité, comment devons-nous vivre notre vie?» Et ils ajoutent: «Commencez dès maintenant!»

Il devenait de plus en plus évident pour moi que voir dans le noir était une réalité, même si je ne comprenais pas les tenants et les aboutissants du phénomène. J'avais donc appris que nous pouvions voir avec la lumière en nous servant de nos yeux et de notre mental, ou que nous pouvions voir avec une autre partie de notre corps en nous servant de l'obscurité. J'avais appris aussi que nous pouvions même voir et savoir beaucoup plus que ce que les choses sont en apparence. Où cela me mènerait-il? Je n'en savais vraiment rien. Mais, comme j'avais toujours fait confiance au Grand Esprit et je savais que chaque chose est entière, complète et parfaite en elle-même, j'avais la certitude que si j'étais patient et je demeurais vigilant, la vérité me serait révélée.

Chapitre trois

Apprentissage auprès des tribus indigènes

Les anciens d'une tribu aborigène partagent leur énergie

La puissance d'une prière maori venant du cœur

L'expérience kogi

La femme de Colombie

Ne faire qu'Un avec les chevaux

Emmener quelqu'un dans l'espace sacré

*E*n cette période de ma vie où je découvrais toutes ces expériences sur les enfants suprasensitifs, un autre élément vint se greffer à ma recherche sur la vision dans l'obscurité. Ce nouvel élément fut subtil, mais, en fin de compte, déterminant quant à l'aboutissement de tout cela – l'endroit secret du cœur qui génère d'incroyables images que ces enfants voyaient et qui les instruisaient.

Ma démarche me fit peu à peu entrer en contact avec diverses tribus indigènes représentant une autre partie du grand mystère et m'incitant à me souvenir d'une ancienne connaissance concernant mon esprit. Des membres de nombreuses tribus me confièrent leur espoir qu'à travers moi des changements s'opéreraient dans le monde technologique qui conduiraient à la paix mondiale et à l'harmonie environnementale.

Les anciens d'une tribu aborigène partagent leur énergie

Au milieu des années 90, on me demanda de donner une conférence au Congrès sur les dauphins et les baleines qui avait lieu en Australie. Quand j'arrivai au Queensland, je fus submergé par la beauté de ce territoire, avec sa grande barrière de Corail s'étalant sur plus de 1 500 kilomètres. Comme il fait bon vivre là-bas !

Des centaines de gens étaient venus du monde entier pour aborder le sujet des dauphins et des baleines, ainsi que des thèmes connexes, entre autres celui de la situation mondiale de l'environnement. (Il est évident que les dauphins, les baleines et le reste du monde vivant ne survivront pas à moins que nous, les humains, ne changions notre façon de vivre.)

À l'époque, j'expérimentais avec le R-2 et j'avais fini par découvrir qu'une seule personne connectée à la Terre Mère pouvait modifier l'environnement en se servant de son corps de lumière, ou Merkaba. Cette idée m'enthousiasmait beaucoup. Aussi, quand j'arrivai sur l'estrade pour donner mon allocution, je le fis d'un point de vue très personnel puisque je savais à quel auditoire je m'adressais. Je fis remarquer avec insistance que nos pensées et nos émotions créent le monde qui nous entoure et que, en restant en contact avec la Terre Mère par le cœur, tout est possible, même la dépollution de notre atmosphère avec comme seul instrument notre corps de lumière.

À la fin de ma conférence, je descendis de l'estrade pour me rendre au fond de la salle et y attendre le conférencier suivant. En chemin, je fus intercepté par un groupe de cinq ou six anciens d'une tribu aborigène qui me firent signe de me joindre à eux, ce que je fis spontanément.

Ils me confièrent que c'était la première fois qu'ils entendaient un homme blanc dire la vérité telle qu'eux la connaissaient. Ils me racontèrent que la Terre Mère leur fournissait tout ce dont ils avaient besoin sans qu'ils aient à se battre, que le monde n'était que lumière et que la conscience humaine était bien plus que ce que les hommes blancs concevaient habituellement. (Ils nous considèrent comme des mutants de leur conscience, comme des bébés encore en train de découvrir le monde matériel.) Les anciens m'annoncèrent qu'ils m'accorderaient leur soutien pendant que je serais en Australie, si je le leur permettais. Je ne comprenais pas vraiment ce qu'ils voulaient dire par «soutien», mais j'acceptai leur offre. Après tout, ils sont vraiment nos aînés.

Je décidai par la suite de donner des conférences dans d'autres villes australiennes, entre autres Brisbane, Melbourne et Sidney. Chaque fois que j'entamais mon discours, je regardais l'auditoire au fond de la salle et j'y apercevais ces vieux hommes assis en cercle, psalmodiant à voix basse. Parfois, il y avait au-delà de mille personnes, mais l'énergie dégagée par ces hommes était si forte que je la sentais presque pulser dans la salle. Je ne sais pas comment ils réussissaient à me retrouver ni comment ils pouvaient venir de si loin puisqu'ils n'avaient pas de voiture, mais ils étaient toujours là.

Avant que je quitte leur cercle, au Congrès sur les dauphins et les baleines, ils me dirent une dernière chose : «Rappelez-vous l'obscurité et le cœur quand vous créez.» À l'époque, cela ne voulait rien dire pour moi.

La puissance d'une prière maori venant du cœur

Peu après mon retour d'Australie, le chef spirituel des Maoris Waitaha, le peuple indigène de Nouvelle-Zélande, me demanda la permission de venir me rendre visite chez moi, aux États-Unis, pour un entretien. Cette demande de Macki Ruka me parvint par l'intermédiaire de Mary Thunder, une ancienne d'une tribu amérindienne, qui m'appela et le conduisit jusque chez moi. Cet événement était plutôt cocasse, car je n'avais jamais eu de contact avec ces gens. Mais sous aucun prétexte je n'allais le renvoyer, même si je n'avais aucune idée de ce dont il voulait s'entretenir avec moi. Mary Thunder amena donc Macki Ruka chez moi, ainsi que plusieurs de ses compagnons. Mary est une merveilleuse grand-mère de la tribu cheyenne, avec qui je suis resté ami depuis.

Macki Ruka était un homme d'une stature impressionnante : il devait peser environ 160 kilos. Il s'était fait accompagner de plusieurs hommes de sa tribu, pour transporter tous les objets cérémonials sacrés qu'il estimait nécessaires à sa rencontre avec moi. Certains de ces objets pesaient plus de 50 kilos ! Je ne me rappelle pas exactement quels étaient ces objets, sinon qu'ils étaient assez lourds pour devoir être transportés par deux personnes. Ils furent disposés autour de nous alors que nous commençâmes à parler.

Notre conversation nous mena au thème de la survie du monde : comment nous, les représentants de la civilisation moderne, avions besoin de nous souvenir de la vieille sagesse pour pouvoir survivre. Il m'expliqua clairement qu'il existait des formes de communication qui, si on s'en souvenait et si on les utilisait, changeraient tout dans le monde. Il était évident que c'était là le message essentiel qu'il voulait faire passer. Pendant deux heures, nous abordâmes de nombreux sujets. Avant de partir, il m'annonça qu'il m'enverrait un menbre de sa tribu et que je devais attendre sa venue. Je ne compris pas pourquoi il ferait cela, mais j'acceptai.

* * *

Quelques années plus tard, alors que j'habitais en Arizona, ma famille et moi étions en plein déménagement, de Sedona à Cave Creek. J'avais loué un camion et je travaillais comme un forçat à y charger des boîtes. (On ne peut imaginer tout ce que j'avais accumulé depuis mon mariage. Quand nous nous sommes rencontrés, Claudette et moi, nous avions chacun un ménage complet.)

Alors que je faisais la navette en traînant les pieds entre la maison et le camion, vidant l'une et remplissant l'autre, un jeune homme que je n'avais jamais vu se dirigea vers moi, le sourire aux lèvres. «Salut! me lança-t-il. Avez-vous besoin d'aide pour charger votre camion?» Vêtu d'un vieux blue-jean et d'un tee-shirt blanc, il avait environ 28 ans et parlait anglais avec un parfait accent californien. En fait, il aurait très bien pu être un de mes voisins à l'époque où je vivais en Californie durant mon enfance et mon adolescence.

«Non, merci infiniment; il ne me reste plus grand-chose à charger.» En fait, c'était faux. J'avais effectivement besoin de son aide, mais je ne voulais pas abuser de lui. Il me regarda droit dans les yeux et, ses paroles venant directement du cœur, insista: «Vraiment, je n'ai rien à faire et j'aimerais beaucoup vous aider.» Comment pouvais-je refuser?

Alors, nous nous sommes mis au travail. Il ne semblait pas avoir grand-chose à dire et se concentrait sur le transport des boîtes. Nous avons donc travaillé presque en silence. Quand le camion fut plein à craquer, je le remerciai et lui demandai si je pouvais l'aider à mon tour d'une quelconque manière. Il me répondit: «Non, mais j'aimerais vraiment vous prêter main-forte pour décharger votre camion là où vous emménagez. Ça vous convient?»

Une telle générosité dépassait l'entendement. «Non, ce serait vraiment trop vous demander. Alors, je vous remercie pour tout ce que vous avez fait.» De nouveau, il me regarda droit dans les yeux et me dit: «S'il vous plaît, laissez-moi vous aider. Vous avez besoin de mon assistance et moi, je n'ai absolument rien d'autre à faire. Je vous assure que ça me convient.» Je commençais à avoir l'impression que je l'avais déjà connu quelque part. C'était comme s'il était un frère de cœur. Alors, j'acceptai son offre. «D'accord, sautez dans le camion. Mais vous êtes dingue, je vous assure!»

Comme il y avait au moins deux heures et demie de route à parcourir pour se rendre à notre nouvelle maison, je me dis que j'aurais tout le temps voulu pour lui poser des questions sur lui-même. Quand il m'avait aidé à charger mes boîtes, il n'avait presque pas parlé, mais maintenant il était coincé avec moi dans ce vieux camion de location.

Dès que nous fûmes sortis de Sedona, je lui demandai d'où il venait. Je m'attendais à ce qu'il me réponde: «De Californie.» Au lieu de ça, il enchaîna: «De Nouvelle-Zélande.» Je le regardai, surpris. «Je pensais que vous veniez de Californie. Y avez-vous déjà vécu quelque temps?» En regardant droit devant lui, il enchaîna: «Non. C'est la première fois que je viens en Amérique. Je suis arrivé il y a environ deux semaines.»

Je me retournai aussitôt vers lui en lui demandant: «Mais où avez-vous appris à parler anglais avec un accent califor-nien si parfait?» Sa réponse me secoua jusqu'aux os. «Oh! je l'ai appris il y a trois semaines. C'est ma tribu qui me l'a enseigné.» La curiosité fit place à la présence d'esprit. «Quoi? Vous avez appris à parler anglais parfaitement en moins d'un mois?» Il répondit: «Oui. Ça a été facile.»

Puis, avant même que j'aie pu réagir à l'incroyable affirmation qu'il venait de faire, il me demanda: «Vous souvenez-vous de Macki Ruka? C'est lui qui m'envoie à vous» J'avais tout simplement oublié que Macki Ruka m'avait promis de m'envoyer quelqu'un. Je fus totalement pris au dépourvu. Je ne pouvais même pas lui dire: «Vous plaisantez!» De toute manière, cela aurait été ridicule. Personne ne pouvait prétendre avoir été envoyé par Macki Ruka à moins que cela ne fût vrai. J'étais le seul à être au courant de cette promesse.

Je pris instantanément conscience de vivre alors une expérience spirituelle profonde. L'énergie de mon corps changea. Je me tournai vers lui pour lui demander: «Comment m'avez-vous trouvé?» Il répondit simplement: «Ce fut facile! J'ai suivi mon cœur.»

Il fit une pause, puis reprit: «En fait, j'ai dû d'abord aller voir les Hopis. On m'a appris que ma tribu et les Hopis devaient se communiquer des prophéties et que j'avais été choisi pour aller les voir. On m'a dit que je devais ensuite vous trouver. Je suis donc allé tout droit chez les Hopis. Voulez-vous que je vous raconte ce qui s'est passé là-bas?»

Comme si j'allais l'interrompre! Enfoncé dans le siège du vieux camion et légèrement tourné vers moi, il me raconta l'incroyable histoire que voici. «Je suis arrivé à la troisième mesa tard le soir, mais ils savaient que je viendrais et m'avaient donc préparé un endroit où dormir. Le lendemain, ils m'ont emmené dans une de leurs *kiva* [chez les Anasazis et les Hopis, lieu de culte sacré et circulaire, à moitié ou complètement enterré, qui permet au monde spirituel d'émerger], où nous sommes restés trois jours et trois nuits, dans l'obscurité totale.

«Pour les choses ordinaires, ils s'adressaient à moi en espagnol, une langue que je connais aussi. Mais pour me révéler leurs prophéties, ils me parlaient surtout par le biais de visions et d'images. À mon tour, de la même façon, je leur faisais part de nos visions du futur. Puis, la troisième nuit, ils m'ont tendu un vieux pot de terre cuite en me demandant quelles impressions cet objet suscitait en moi.

Réellement, au début, ce pot ne signifiait rien à mes yeux, mais après l'avoir tenu dans mes mains pendant quelques heures, une vague impression de déjà-vu s'est emparée de moi, suivie d'une incroyable vision. J'ai vu que j'avais été un Indien Hopi des siècles plus tôt et que j'avais fabriqué moi-même ce pot. Je me suis aussi rappelé que dans cette autre vie j'avais gravé une image dans ce pot afin de me souvenir de moi dans plusieurs siècles.

Au cours de cette vision, je me suis tout rappelé sur moi et sur ma vie avec les Hopis. C'était si satisfaisant et si fantastique de me souvenir de tout! Je me suis aussi souvenu instantanément du langage hopi et, à partir de ce moment, nous avons parlé seulement hopi entre nous. C'était il y a trois jours.»

Que peut-on ajouter à un tel récit? Après un bref silence, je lui demandai: «Pourriez-vous me dire quelles prophéties vous avez échangées?» Il me regarda comme s'il voulait vraiment m'en parler, puis se ravisa: «Je suis désolé, mais je n'ai pas la permission de parler des prophéties avec quiconque.»

La conversation se poursuivit donc sur le thème des expériences ordinaires qu'il avait vécues depuis son arrivée aux États-Unis. Selon lui, ce pays est vraiment un endroit étrange où habiter. À ses yeux, nous vivons trop éloignés de la nature et de la réalité, et la télévision représente une forme de masturbation cérébrale.

Peu après, nous arrivâmes à destination et je fis reculer le camion dans notre nouvelle entrée. Pendant le déchargement, de nouveau, il parla peu et travailla fort. Quand nous eûmes terminé, il me demanda la permission de procéder à une céré-monie sur mon nouveau terrain avant que nous reprenions la route pour retourner à Sedona. Avec le temps, il s'avéra que cette cérémonie constituait une grande leçon sur la puissance de la prière, surtout quand cette prière vient du cœur.

Le terrain que nous avions acheté avait la forme presque parfaite d'un pentagone. Mon ami maori me demanda la permission de prier à chacune de ses pointes, et, bien sûr, je la lui accordai. Nous allâmes donc ensemble à chacune des pointes, où il pria avec une grande révérence. «Créateur bien-aimé, entends s'il te plaît ma prière pour mon ami Drunvalo.» Il poursuivit sa supplique en demandant au Créateur que les animaux viennent trouver refuge sur cette terre, que tout le monde qui y vivrait soit heureux, en santé et jamais blessé, et enfin que jamais personne ne m'enlève cette terre. Je résume ici l'essentiel.

Peu après, nous repartîmes pour Sedona. À notre arrivée, il me fit une grande accolade, me regarda droit dans les yeux pour la dernière fois et s'en alla. Je ne l'ai jamais revu.

Après avoir emménagé dans notre nouvelle maison, ma femme et moi avons remarqué que des animaux dormaient partout sur notre terrain. Nous n'avions que 4000 m^2 de terre et environ la moitié était délimitée par des murets près de la propriété. Malgré le peu d'espace, des animaux ne cohabitant normalement pas avec d'autres, par exemple les cerfs, les coyotes et les pécaris, dormaient les uns près des autres. En fait, les coyotes dorment habituellement dans des terriers, alors que chez nous ils dormaient sur la terre, à peu de distance des autres bêtes. La prière maori qui nous amenait tellement d'animaux si différents nous faisait souvent rire. Et, malgré le grand nombre de scorpions, de crotales et d'hélodermes, jamais personne ne fut piqué.

Environ trois ans et demi plus tard, nous décidâmes de déménager ailleurs. Notre maison se trouvant dans une zone fort prisée, notre agent immobilier nous assura en toute confiance qu'elle se vendrait en deux semaines et que toutes les transactions seraient terminées en moins de trente jours. Cependant, presque un an et des centaines d'acheteurs potentiels plus tard, notre belle demeure n'était toujours pas vendue. Nous ne savions plus que faire.

Un soir, Claudette se réveilla après avoir fait un rêve et me dit: «Drunvalo, tu te souviens des paroles du Maori? Il a dit que personne ne nous enlèverait jamais notre propriété. Nous devons mettre fin à cette prière, sinon notre maison ne se vendra jamais.» Le lendemain, nous allâmes ensemble à chacune des pointes du terrain et priâmes pour modifier les paroles du Maori. Notre maison fut vendue cinq jours plus tard.

L'expérience kogi

Ce fut au sein des Kogis que mes expériences avec les peuples indigènes commencèrent à se manifester autrement qu'en leçons sur la spiritualité et le potentiel humain. Ce qu'ils m'enseignèrent et me montrèrent m'éclaira sur la capacité humaine de voir dans le noir. Sans leur aide, je n'aurais peut-être jamais trouvé cet espace secret situé dans le cœur. Je leur suis à jamais redevable de m'avoir si aimablement aidé.

Alors que je venais à peine de terminer un atelier sur la Terre et le Ciel dans une ville de l'État du Maryland, un jeune homme blanc s'approcha de moi et me dit qu'il avait été envoyé par les Mayas du Guatemala pour me livrer un message de la part de la tribu kogi des montagnes de la Sierra Nevada, en Colombie. J'écoutai ce qu'il avait à me dire. Je n'avais jamais entendu parler de cette tribu.

Un village kogi

Il m'expliqua que les Kogis étaient l'une des rares tribus ayant échappé à l'Inquisition espagnole dans les années 1500 en migrant vers les hauteurs de la Sierra Nevada de Santa Marta. Comme ils étaient inaccessibles à cette altitude, ils avaient pu maintenir une partie de leur culture d'origine et de leurs croyances religieuses. Même aujourd'hui, ils vivent presque de la même façon qu'il y a un millier d'années.

Au sein de leur tribu se trouve un groupe de personnes appelées Mamas, qui, pour eux, ne sont pas réellement des humains, mais font partie de la conscience de la Terre qui maintient l'équilibre du système écologique mondial. Selon les Kogis, sans la présence des Mamas, la Terre mourrait.

Les Mamas sont également les chefs religieux de leur tribu; ils sont vénérés au même titre que Jésus par les chrétiens, ou Mahomet par les musulmans. Selon le jeune homme qui me racontait cette histoire, les Mamas ont la capacité de voir dans l'obscurité totale et assurent la garde du monde grâce à leur vision intérieure et à leur rapport intime avec la Terre Mère, qu'ils appellent Aluna.

Indiens kogis

Point incroyablement intéressant: lorsqu'on découvre dans la tribu un bébé qui est ou deviendra un Mama, on l'emène dans un lieu particulier pour lui donner une formation et une éducation spécifiques. Dans les temps anciens, il s'agissait d'une grotte complètement obscure. De nos jours, on emmène le bébé dans une habitation spéciale, entièrement faite de matériaux naturels et où aucune lumière ne peut pénétrer. Dans une obscurité presque totale, on nourrit cet enfant uniquement d'aliments de couleur blanche et on lui procure suffisamment de lumière pour qu'il ne devienne pas aveugle. On lui donne également une formation spirituelle très inhabituelle. Pendant neuf ans, il reste dans l'obscurité et apprend à voir sans se servir de ses yeux, tout comme le font les enfants suprasensitifs que l'on a découverts dans d'autres pays. Puis, on sort l'enfant à la lumière pour lui apprendre à voir avec ses yeux. Ce doit être toute une expérience que de voir cette incroyable planète pour la première fois à l'âge de neuf ans !

Le jeune homme qui venait de me parler des Kogis et des Mamas me révéla ensuite pourquoi on me l'avait envoyé. Il m'expliqua que les Mamas des Kogis pouvaient non seulement «voir» n'importe où dans le monde, mais aussi dans le futur, comme les Hopis, les Maoris et bien d'autres tribus indigènes. Il ajouta que, dans toute leur histoire, les Mamas n'avaient jamais fait de prédictions erronées.

Selon les Mamas, avec la dernière éclipse solaire du XXe siècle, le 11 août 1999, tous les peuples technoculturels du monde seraient partis vers une autre dimension de la conscience terrestre, laissant derrière eux les peuples indigènes naturels, qui recevraient alors la Terre en héritage. (Cette prédiction rappelle les paroles de la Bible selon laquelle «les faibles hériteront de la Terre». Cette prédiction ressemble aussi étrangement à une prophétie d'Edgar Cayce, surnommé «le prophète endormi», qui a prédit qu'avant l'hiver 1998 les pôles de la Terre s'inverseraient et qu'un immense changement se produirait sur notre planète. Bien des spécialistes du mouvement du nouvel âge ont pensé que cela voulait dire que la plus grande partie de la conscience terrestre passerait dans la quatrième dimension.)

Le jeune homme s'approcha alors de moi, comme pour marquer davantage les propos qu'il allait me tenir, et mur-

mura: «Le 12 août 1999, les Mamas de la tribu kogi réalisèrent que la technoculture était encore présente sur la Terre. Ils entrèrent alors en méditation profonde afin de vérifier pourquoi, pour la première fois de leur longue histoire, leur prédiction était fausse.»

Au cours de leur méditation dans l'obscurité, les Mamas virent alors des lumières sur toute la surface du globe, des lumières qui n'étaient pas là auparavant. En y regardant de plus près, ils se rendirent compte que ces lumières étaient celles des gens ayant appris qu'ils avaient un corps de lumière appelé Merkaba dans les temps anciens. Selon les Kogis, ces gens, avec leur corps de lumière, avaient changé le cours de l'histoire.

En tant qu'enseignant du Merkaba, je sais que, si l'on se souvient de son corps de lumière, on peut, avec une certaine formation, modifier le monde externe avec ses pensées et ses sentiments. Selon les Kogis, certains d'entre nous auraient tellement changé le monde extérieur, qu'une nouvelle réalité aurait été créée. Des êtres humains avaient réussi à manifester un potentiel du futur, et les Mamas n'avaient pas su le prédire cette fois. Bien entendu, cela révélait un aspect encore plus profond de la nature du potentiel humain. (Soit dit en passant, les Mamas ne pensaient pas que nous savions nous servir de cette capacité innée.)

À ce sujet, voici une information fort intéressante. L'armée de l'air américaine était entrée en contact avec moi quand je travaillais à la dépollution, d'abord avec le R-2 et ensuite avec mon Merkaba. Au cours de discussions privées, ces gens me révélèrent quelque chose de crucial. Mais tout d'abord je veux mentionner le fait suivant. Nombreux étaient les étudiants, dans les groupes sur le Merkaba, à me faire part d'un phénomène que j'avais d'ailleurs moi-même observé: dès l'instant où ils activaient leur Merkaba pour la première fois, ils se retrouvaient parfois entourés d'hélicoptères noirs. Et souvent, ces hélicoptères ne disparaissaient tout simplement pas, restant autour d'eux pendant des semaines ou même des mois. Un major de l'armée de l'air me raconta donc que, lorsque le Merkaba prend de l'expansion, la personne au centre de ce dernier émet à peu près la même énergie (en pulsion magnétique) qu'une ville d'environ 15 000 habitants. Cette spécialiste m'affirma que les satellites de l'armée de l'air pouvaient détecter le corps de lumière d'une personne et en transmettre l'image sur les écrans de ses ordinateurs. Pendant des années, cela préoccupa beaucoup les militaires américains. Mais, dorénavant, ils comprennent que cela fait partie de la nouvelle conscience qui voit le jour sur la Terre en ce moment. Alors, si l'armée de l'air américaine peut voir le Merkaba, pourquoi pas les Mamas?

Le jeune homme me regarda avec innocence et me dit: «Les Mamas de la tribu kogi vous remercient d'enseigner le Merkaba et de changer le monde en l'enseignant.» Il me tendit ensuite un petit paquet de tabac enveloppé dans une étoffe de coton rouge vif: c'était un cadeau de reconnaissance de la part des Mamas. Comme je n'étais pas préparé à cette cérémonie impromptue, je jetai un coup d'œil autour de moi, attrapai une rose rouge dans un bouquet tout près et la lui tendis pour qu'il la donne aux Mamas. Ce fut tout.

Après son départ, je repensai à cette expérience pendant un certain temps, puis j'oubliai les Kogis, croyant que je n'en entendrais plus jamais parler.

Deux mois passèrent, et, à la fin d'un autre atelier, le même homme revint me voir, de nouveau avec un message des Mamas de la tribu kogis. Il m'annonça que ceux-ci voulaient me rencontrer et m'enseigner le «langage qui n'a pas de mots», ajoutant qu'il serait inhabituel pour eux de se rendre aux États-Unis, puisque seuls trois d'entre eux avaient déjà voyagé en dehors de la Colombie, mais que si je le leur demandais, ils trouveraient une façon de le faire. Ils voulaient donc vraiment me rencontrer, mais préféraient que j'aille les retrouver à la Sierra Nevada de Santa Marta.

Je pensai à cette requête pendant quelques instants, puis j'entrai en méditation profonde pour demander à mes deux

anges la permission de partir vers une nouvelle aventure. Ils me regardèrent tous les deux et me donnèrent immédiatement leur accord, peu importe ce que cette aventure devait comporter. En ouvrant les yeux, je dis simplement :
«Je consens à ce que cela se passe.»

J'avais le choix : soit je me rendrais moi-même dans les montagnes de Colombie, soit les Mamas devraient me trouver. Comme j'avais un programme très chargé pour l'année à venir, je m'enquis de la possibilité que les Mamas viennent me voir. Sans hésitation, le jeune homme me répondit : «Je vais transmettre votre message.» Il partit sans rien formuler d'autre.

Au cours du vol qui me ramenait chez moi, j'eus enfin le temps de réfléchir à tout cela. Je ne savais pas comment les Mamas me trouveraient, mais j'étais convaincu qu'ils y réussiraient. J'ai déjà vu des indigènes interagir avec le monde ordinaire d'une manière tout simplement incroyable. En voici un exemple.

Les gens de Taos Pueblo, au Nouveau-Mexique, m'avaient invité à participer à une cérémonie pour aider à guérir les souffrances existant entre l'homme blanc et l'homme rouge. Cette cérémonie devait être conduite à Taos Pueblo par les adeptes du culte peyotl, l'Église autochtone américaine, et commencer au lever du soleil quelques jours plus tard.

Le jour venu, le soleil étant sur le point de se lever à l'horizon, trois chamans huichols arrivèrent sur les lieux de la cérémonie et sollicitèrent la permission d'entrer dans notre cercle. Ils étaient parés de leur costume de cérémonie, portant des plumes dans les cheveux et des marques de peinture sur le visage et le corps.

Jimmy Reyna, l'homme originaire de Taos Publo qui dirigeait la cérémonie, leur demanda comment ils avaient été mis au courant de celle-ci, vu que tous ceux qui y avaient été invités devaient en garder le secret. Ils lui répondirent qu'ayant participé à une cérémonie de peyotl au Mexique, ils avaient eu la vision de cette cérémonie. Leurs chefs avaient décidé que ces trois hommes devaient y prendre part. Ils s'étaient donc vêtus pour l'occasion et s'étaient rendus à pied jusqu'à Taos Pueblo.

Cela était assez impressionnant, étant donné qu'ils vivaient à 500 kilomètres de la frontière américaine et que, une fois celle-ci passée, ils devaient marcher encore 500 kilomètres avant d'arriver à Taos Pueblo. Mille kilomètres, et personne ne les avait arrêtés! Ils avaient traversé le Rio Grande, marché sur des autoroutes, enjambé des barbelés, et ils étaient arrivés seulement cinq minutes avant le début de la cérémonie, en costume d'apparat! Les capacités humaines sont bien plus grandes que la plupart des gens ne le croient!

J'attendis donc que les Mamas me contactent d'une façon ou d'une autre.Cependant, je n'arrivais pas à imaginer comment ils le feraient.

La femme de Colombie

Deux ou trois mois plus tard, je me trouvais à Cuernavaca, au Mexique, pas loin de Mexico, où j'animais un autre atelier sur la Terre et le Ciel. Un peu plus de cent personnes étaient présentes, dont une vingtaine étaient originaires de la Colombie.

Parmi celles-ci il y avait une femme au début de la quarantaine, semblable à n'importe quelle femme moderne, du moins jusqu'à ce que le groupe exécute une danse et une mélopée dont le but était de rendre les gens conscients de la présence de Dieu. Au cours de cette danse, la personnalité de cette femme se transforma totalement. Elle perdit toute inhibition et entra dans une transe primitive, accomplissant des mouvements avec une intensité témoignant d'un abandon total au rythme de la mélopée. Ce n'était pas ce à quoi on s'attend habituellement d'une femme moderne.

Je la trouvais belle à voir, mais les autres Colombiens étaient un peu embarrassés. Comme cette femme continua d'agir de la sorte pendant les quatre jours de l'atelier, les autres devinrent de plus en plus intolérants et impatients à son égard.

Au cours du troisième jour, alors que les gens se tenaient la main en cercle et proféraient certains sons pour augmenter leur niveau de conscience, cette femme quitta une fois de plus le cercle pour se rendre en son centre et y danser avec fougue sur le chant rythmé. Quinze minutes plus tard, ne pouvant plus supporter le spectacle, les Colombiens me firent signe de l'arrêter. Pour ma part, je n'en avais pas vraiment envie, car je trouvais ses mouvements magnifiques. Cependant, par respect pour les autres, j'allai la chercher au milieu du cercle pour la ramener vers le groupe.

Comme elle me tournait le dos, je la touchai délicatement sur l'épaule. Elle virevolta, puis regarda alors mon âme à travers mes yeux et son corps émit un son étrange qui sembla envelopper le mien. À cet instant même, je ne me trouvais plus dans cette salle, à Cuernavaca, mais dans un endroit inconnu parmi des huttes construites de végétaux et des gens vêtus de blanc tournés vers moi. Cette scène était aussi réelle que la réalité. Je vis même un chien courir.

Je n'étais plus dans mon corps actuel, mais dans celui d'une femme qui observait les alentours. Une sensation étrange me traversa, de nature presque sexuelle, mais qui ne l'était cependant pas. Disons que ce fut une sensation vraiment très, très agréable. Et ensuite, alors que je commençais à peine à accepter ma nouvelle réalité, je me retrouvai soudainement de nouveau dans la salle, à Cuernavaca, en train de regarder dans les yeux de cette étrange femme. Je n'avais jamais connu une telle expérience, et pourtant j'en avais vécu certaines qui étaient plutôt inusitées.

À cet instant, je savais seulement que je voulais retrouver la sensation éprouvée plus tôt. Alors, en pleine mélopée, abandonnant complètement mon rôle d'animateur, je quittai le groupe en entraînant la femme à l'écart dans un coin de l'immense pièce et lui dis: «Refaites ça, s'il vous plaît.»

Elle sourit et refit le son. Une fois encore, je me retrouvai loin de Cuernavaca. J'étais rendu en Colombie. Pendant deux heures, aux dires des gens du groupe qui avaient interrompu leur mélopée pour nous observer, je me suis trouvé dans un état modifié de conscience.

Pendant ce peu de temps où je fus auprès d'elle, j'ai appris et compris ce qui se passait réellement. Tout est devenu clair. En fait, ce sont deux vieux Mamas kogis qui m'ont expliqué les choses alors que je me trouvais dans ce corps de femme en Colombie.

Ils m'ont dit: «Nous sommes descendus de la montagne pour aller rendre visite à une femme qui a des dons spéciaux, dans une autre tribu proche de la nôtre. Nous lui avons demandé de bien vouloir nous aider à entrer en contact avec vous et elle a accepté.»

Apparemment, cette femme, une dénommée Ema, était allongée sur un épais lit d'herbe, dans une hutte ronde faite de végétaux. Son esprit avait quitté son corps et était descendu au pied de la montagne, où vivait une autre femme dans une vieille maison espagnole aux murs de pisé. Ema était entrée dans le corps de celle-ci – je ne sais pas si elle en avait eu la permission – et lui avait insufflé l'idée de se rendre à mon atelier, au Mexique. De cette façon, Ema pourrait m'enseigner le «langage qui n'a pas de mots».

Chose encore plus intrigante, cette Colombienne qui faisait partie de mon groupe n'avait pas d'argent, pas de passeport, aucun papier d'identité et pas de billet d'avion. Et pourtant elle avait réussi à trouver son chemin jusqu'au Mexique pour venir à mon atelier. Quelqu'un lui avait acheté un billet d'avion et, avant que je quitte les États-Unis, les anges m'avaient dit de la laisser assister gratuitement à l'atelier. Mais, tout de même, comment avait-elle fait pour passer aux douanes sans papiers d'identité? Comment avait-elle réussi à voyager en avion entre la Colombie et le Mexique sans aucune complication? J'imagine que personne ne pouvait la «voir».

Ce que j'apprenais d'Ema dans le coin de cette salle, avec ses sons étranges, importait beaucoup plus que la façon dont les Mamas effectuaient ce transfert spatial. Avec mes nouveaux dons, je me déplaçais dans le vrai monde en terre kogi, dans un corps de femme, avec de vieux chamans, des Mamas, tout autour de moi. Je savais qu'ils savaient que c'était moi, Drunvalo, qui étais dans ce corps. À tour de rôle, ils se sont approchés de mon visage pour émettre des sons étranges.

Chaque fois qu'un son était émis, je disparaissais immédiatement vers une autre réalité où ils se mettaient à m'enseigner leur histoire, leur culture et leurs croyances spirituelles. Quand cette expérience fut terminée, je savais tout de cette femme dont j'utilisais le corps. Je connaissais son époux et ses trois enfants comme s'ils étaient mes proches. J'en vins aussi à connaître, comme s'ils faisaient partie de ma famille, les deux vieux Mamas qui s'étaient tenus à mes côtés pendant toute l'expérience.

L'un d'eux, Mamos Bernado, devint mon guide pendant les quelques mois suivants. J'avais l'impression de renaître dans un monde nouveau et incroyable d'où toutes les vieilles règles avaient été éliminées. Mon vieux monde habituel me semblait davantage un rêve qu'une réalité, alors que ce monde nouveau me semblait réel.

Cette expérience avec Ema se termina aussi abruptement qu'elle avait commencé et je me retrouvai dans mon propre corps, au Mexique, en train d'animer un atelier sur un thème qui me parut alors sans aucun rapport avec ce que je venais de vivre.

Peu à peu, au cours des semaines suivantes, je saisis le sens de cette nouvelle expérience et j'acceptai la façon dont les Mamas m'enseignaient si gracieusement. Je compris que les sons ne venaient pas du mental, avec des pensées et des mots, mais d'un espace sacré du cœur. C'étaient les rêves, les sentiments et les émotions qui les produisaient. (Dans le corps, aussi bien le mental que le cœur peuvent engendrer des images, mais seules celles produites par le cœur peuvent sembler totalement réelles.)

Ce mode de communication dépassait de loin tout ce dont le mental est capable. Je venais de faire l'expérience du «langage qui n'a pas de mots». Jamais plus je ne serais le même. Je me sentais honoré d'avoir eu un aperçu de ces possibilités et en même temps j'étais surexcité. Le langage sans mots pouvait également servir de moyen de communication entre toutes les formes de vie, pas seulement entre humains. Les Mamas me recommandèrent d'essayer de communiquer ainsi avec les animaux pour constater la chose par moi-même.

Ne faire qu'Un avec les chevaux

Claudette, ma femme, avait trois chevaux qui vivaient en liberté dans un immense champ clôturé. Le lendemain de mon retour du Mexique, nous allâmes les voir ensemble. Je lui avais déjà raconté mes expériences avec Ema et nous voulions tous deux voir ce qui se produirait avec les chevaux.

À notre arrivée près de l'enclos, ceux-ci étaient au repos en bordure de la clôture, à environ trente mètres l'un de l'autre. Pendant que Claudette s'apprêtait à les nourrir, je me rendis au milieu du champ. Tous les trois semblaient somnoler sous le soleil chaud et sec de l'Arizona.

Doucement, je quittai mon mental pour descendre dans mon cœur comme on me l'avait enseigné, et un son aigu sortit de mon corps. Ce n'est pas moi qui fis ce son; il sortit simplement en même temps que me vint à l'esprit la vision d'un jeune poulain.

Brusquement, les trois chevaux tournèrent la tête vers moi et me fixèrent, puis, comme s'ils s'étaient donné le mot, se mirent à galoper dans ma direction. Quand ils m'atteignirent, ils collèrent tour à tour leur tête contre la mienne. En quelques secondes, je fus au milieu d'un monde chevalin. Semblant obéir à un signal invisible, ils baissèrent la tête ensemble et je dus faire de même.

Pendant les trente minutes qui suivirent, je fus un cheval. Nous échangeâmes des petits sons entre nous, entrecoupés de brefs hennissements. Des images de chevaux et de troupeaux emplirent mon être et la même sensation de nature quasiment «sexuelle» éprouvée avec Ema envahit mon corps. Je ne peux expliquer cette expérience, mais c'est l'un des moments les plus gratifiants que j'aie connus dans ma vie. Je débordais de joie de pouvoir communiquer avec ces bêtes.

Puis, aussi rapidement qu'elle avait commencé, l'expérience prit fin. Mais j'avais changé à tout jamais et les chevaux également. À partir de ce moment-là, mon rapport avec eux ne fut plus celui d'un homme avec des chevaux, mais d'un membre d'une famille avec d'autres. Quelle bénédiction! À cet instant-là, je sus que l'expérience que j'avais vécue au Mexique avait été tout à fait réelle. La vie devenait vraiment une grâce!

Ceux d'entre vous qui connaissent la Bible se rappellent probablement l'histoire de Babylone. Selon ce texte sacré, avant Babylone, le monde entier parlait un langage unique et les humains s'en servaient même pour communiquer avec les animaux. Après Babylone, Dieu nous sépara en divers groupes linguistiques, ce qui, depuis, nous maintient divisés puisque nous ne pouvons pas toujours nous comprendre les uns les autres. Les archéologues n'ont cependant jamais découvert aucune trace de ce langage nulle part dans le monde. Pourquoi donc, selon vous?

À mon avis, c'est parce que ce langage n'en est pas un qui s'écrit ou se parle avec des paroles, mais qui est plutôt créé par des sons provenant du cœur. C'est seulement quand le cœur des humains s'ouvrira de nouveau que nous nous souviendrons de ce langage et que nous recréerons le lien non seulement entre nous et avec les animaux, mais avec la vie tout entière, partout.

Emmener quelqu'un dans l'espace sacré

Environ deux semaines après l'expérience que j'avais vécue avec les chevaux de Claudette, je me trouvai sur la côte est des États-Unis pour animer un autre atelier sur la Terre et le Ciel. Ce que j'avais appris des Mamas était encore tout frais dans mon esprit. L'assistante qui me secondait pour cet atelier était tout ouïe quand je lui parlais de cet espace sacré du cœur. Ne pouvant plus retenir sa demande, elle me dit: «Pourriez-vous me montrer comment vous faites?»

J'hésitai tout d'abord, car les humains ont en eux beaucoup de résidus émotionnels et de systèmes de contrôle qui rendent le voyage hors du mental effrayant pour la plupart d'entre eux. Mais comme elle insistait, je consentis à un essai, ne m'attendant pas à ce qu'il se passe grand-chose.

Assis tous les deux en tailleur, face à face, nous commençâmes par une méditation simple, l'observation de la respiration, simplement pour nous détendre. Puis, comme les Mamas me l'avaient montré, j'amenai mon esprit à quitter littéralement mon mental pour aller vers le cœur. Presque immédiatement, des sons étranges sortirent de mon corps et j'eus une vision.

Je me trouvais à quelques mètres de l'Amazone, dont l'eau était d'un vert boueux, et je voyais à ma gauche un arbre immense. Cet arbre avait une énorme branche qui se déployait à partir du tronc, sur sept mètres environ, parallèlement au sol. Mon esprit étant à environ deux mètres au-dessus du sol, j'aperçus directement sous moi un gros puma mâle qui marchait rapidement et avec détermination. La bête sauta sur l'énorme branche et se déplaça agilement presque jusqu'au bout de celle-ci, puis elle sauta au sol avec souplesse et poursuivit son chemin le long du fleuve.

L'instant d'après, j'étais de nouveau dans la salle avec mon assistante. J'ouvris les yeux en même temps qu'elle et je la regardai pour voir quelle avait été son expérience, mais sans vraiment m'attendre à quoi que ce soit. À mon immense surprise, elle me décrivit ma propre expérience dans les moindres détails. Je pouvais à peine y croire! Ça fonctionnait! Sans me laisser le temps de penser à ce qui venait de se produire, elle me demanda, tout excitée, de recommencer.

Nous répétâmes donc l'expérience. Peu après que j'eus fermé les yeux, un autre son sortit de mon corps. Immédiatement, je me retrouvai près du plafond d'une pièce de la vieille maison en pisé de la Colombienne. Je regardai d'en haut cette femme alors qu'elle dormait dans son lit. C'était tôt le matin.

L'esprit d'Ema sortit alors du corps de la Colombienne et monta vers le mien. Nous fusionnâmes et sortîmes de la maison en passant à travers le mur, puis nous montâmes très haut dans l'éther, d'où nous pûmes voir la jungle en dessous et les montagnes tout autour de nous.

Puis, comme des avions supersoniques, nous filâmes rapidement au-dessus de la cime des arbres en montant le long du flanc de la montagne. Nous volions à une vitesse incroyable, nous maintenant à environ trente mètres au-dessus des arbres. Arrivés au-dessus d'une vallée suspendue, nous nous arrêtâmes sur une crête où était niché un village de huttes en paille.

Toujours en volant, nous nous dirigeâmes directement vers une des huttes et traversâmes les murs pour nous rendre jusqu'à l'endroit où était étendu le corps d'Ema, nu, sur un lit d'herbe. (D'habitude, les Kogis et autres tribus de cette montagne dorment dans des hamacs tissés à la main. Cependant, ils ne voulaient pas laisser Ema dans un hamac pour une trop longue période de temps alors qu'elle était inconsciente.)

Nous nous glissâmes dans son corps et elle se réveilla alors que sa famille se tenait autour d'elle. Ses trois enfants crièrent son nom en l'étreignant. Le plus jeune, à peine âgé d'un an, se mit immédiatement à téter son sein gauche. Son mari et deux vieux Mamas étaient là aussi. Je leur jetai un regard et ils saluèrent ma présence. Puis tout fut terminé.

Je me retrouvai de nouveau dans cette salle sur la côte est des États-Unis, avec mon assistante, et, encore une fois, nous ouvrîmes les yeux ensemble. Sans que je prononce un seul mot, elle me décrivit l'expérience parfaitement, à un détail près, que je ne comprends d'ailleurs toujours pas aujourd'hui. Elle avait vu l'esprit d'Ema sortir du corps de la Colombienne sous la forme d'une coccinelle. Peut-être cette perception était-elle simplement due à ses croyances? Quoi qu'il en soit, elle avait donc, à ce détail près, connu exactement la même expérience que moi.

Dire que j'étais excité serait bien en deçà de la réalité. Je n'avais maintenant plus aucun doute sur l'existence d'un endroit secret dans le cœur. Cette expérience révélait un potentiel humain immense qui pouvait changer le cours de l'histoire humaine et lui éviter l'extinction. Et les Kogis voulaient que j'enseigne ou transmette ce potentiel à d'autres. Pour quelle raison? Parce que, en tant que gardiens de l'équilibre du monde, les Mamas croient que si nous nous rappelons qui et ce qui est dans notre cœur, nous ne pourrons plus jamais tuer la Terre avec notre technologie aveugle. Et je crois qu'ils ont tout simplement raison.

● ● ●

Pendant les deux semaines suivantes, les Mamas apparurent dans mes rêves chaque nuit, toute la nuit durant. Ils continuèrent à m'enseigner et à me révéler des aspects d'eux-mêmes qu'à leur avis je devais connaître. Il m'apparut très clairement qu'ils voulaient que je révèle cette information aux sociétés technologiques du monde.

À un moment donné, je rencontrai même des Kogis, mais je n'appris rien de plus d'eux que ce qu'ils m'avaient déjà enseigné. Ils me firent par contre des suggestions quant à la façon d'enseigner. J'utilise certaines d'entre elles, mais il en est d'autres que je ne peux retenir. Par exemple, les Mamas m'ont dit que si mes étudiants se tenaient debout dans l'obscurité totale pendant neuf jours sans dormir ni manger, ils trouveraient l'espace sacré du cœur. C'est peut-être le cas, mais cela ne fonctionnerait pas dans le monde moderne. Me servant de mon expérience personnelle comme guide, j'ai finalement découvert deux manières de remplacer leur suggestion. Je vous en ferai part un peu plus loin dans ce livre.

Chapitre quatre

L'espace sacré du cœur

Apprendre et enseigner à vivre dans le cœur

La vibration du cœur et le retour aisé

**Mon expérience personnelle
de l'espace sacré du cœur**

Le retour au bercail

Qu'est-ce que le temps?

Exemples d'autres espaces sacrés

**Ce qui peut vous empêcher
de faire cette expérience**

L'espace sacré du cœur, quelquefois appelé chambre secrète du cœur, est une dimension intemporelle de la conscience où tout est possible dans l'ici-maintenant. Dans tous les anciens écrits et les vieilles traditions orales du monde, on trouve des allusions à un endroit secret situé dans le cœur. Le petit extrait du *Chandogya Upanishad* placé au début de cet ouvrage en est un exemple, tout comme un livre qui est associé à la Torah et dont le titre est «Chambre secrète du cœur».

Même la science serait en train de s'acheminer vers ce concept. En effet, un groupe de chercheurs de l'institut HeartMath, à Boulder Creek, en Californie, qui travaille en étroite collaboration avec l'université de Stanford, a fait de très intéressantes découvertes à ce sujet. Ces renseignements seront utiles à ceux d'entre vous qui essaient de comprendre le cœur. Ce n'est pas une démarche facile, mais si le mental coopère, le cœur répond.

Le paradoxe suivant a toujours existé: lorsqu'un bébé est conçu, le cœur humain commence à battre avant que le cerveau ne soit formé. Cette découverte a conduit les médecins à se demander d'où vient l'intelligence qui amorce et régit les battements du cœur. À la grande surprise du corps médical, les chercheurs de l'institut HeartMath ont découvert que le cœur avait son propre cerveau. Oui, un vrai cerveau avec de véritables cellules cérébrales. Il est minuscule, puisqu'il ne comporte qu'environ quarante mille cellules, mais c'est bel et bien un cerveau, et, de toute évidence, il possède tout ce dont le cœur a besoin. Cette découverte est cruciale et confère de la crédibilité à tous ceux qui, pendant des siècles, ont parlé de l'intelligence du cœur.

Les chercheurs de l'institut HeartMath ont fait une autre découverte encore plus cruciale. Ils ont prouvé que, de tous les organes du corps humain, y compris le cerveau, le cœur est celui qui génère le plus grand et le plus puissant champ énergétique. Ils ont découvert que ce champ électromagné-tique mesure de trois à quatre mètres, son axe se trouvant au centre du cœur. Sa forme ressemble à celle d'un beignet troué en son centre ou d'un tore, une forme souvent considérée comme la plus singulière et primordiale qui soit dans l'uni-vers.

Ceux qui ont lu avec attention les deux volumes de *L'ancien secret de la Fleur de vie* retrouveront ici un élément familier. Dans le cube de Métatron, on a les cinq solides pla-toniques emboîtés les uns dans les autres, et chacun contient une réplique plus petite de la forme originale, c'est-à-dire qu'on a un cube dans un cube, un octaèdre dans un octaèdre, et ainsi de suite.

Ici, émergeant de l'espace sacré du cœur, se trouve un champ toroïdal électromagnétique qui contient un plus petit champ toroïdal, et ces deux champs ont le même axe, comme les cinq solides platoniques du cube de Métatron.

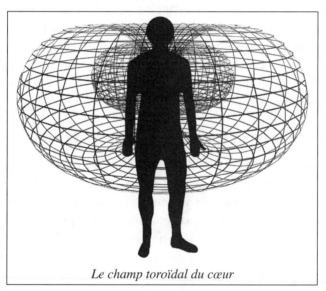

Le champ toroïdal du cœur

J'ai découvert deux aspects très importants de ce champ toroïdal. Le premier est qu'il peut servir de porte d'entrée pour accéder à la chambre secrète du cœur et y pénétrer. Vous trouverez plus loin dans cet ouvrage les instructions qui vous permettront de le faire. Le second concerne le tore interne, le plus petit des deux. Ce n'est pas encore le moment d'expliquer l'importance de ce champ interne, mais j'y reviendrai quand il sera question de la création à partir du cœur.

L'espace sacré du cœur est conçu de la même façon que le tore qui en contient un autre. Il y a d'abord l'espace sacré comme tel, puis, au sein de celui-ci, un autre espace, très petit mais aussi très différent et possédant des fonctions particulières. Les chirurgiens du cœur ont découvert autre chose dont je ne suis pas sûr de la signification: il existe dans le cœur un minuscule endroit que, pour une raison inconnue, ils ne doivent jamais toucher, sinon la personne meurt immédiatement, sans aucune chance de pouvoir être ranimée. De toute évidence, cet endroit est de la plus haute importance pour la vie.

Je suis convaincu que le champ toroïdal électromagnétique passe exactement par l'espace sacré du cœur et qu'il est généré par ce dernier. Par contre, mes idées ne sont pas encore très claires en ce qui concerne «le cerveau du cœur» et «l'endroit qu'il ne faut pas toucher, sinon on meurt». Si vous le comprenez mieux que moi ou que vous établissez un lien quelconque avec le champ toroïdal, faites-le-moi savoir.

Apprendre et enseigner à vivre dans le cœur

Depuis la fin de 1999, j'apprends et j'enseigne, par des ateliers, à vivre dans le cœur. Au moment où j'écris ces lignes, j'ai mis cette expérience en pratique avec environ 4000 personnes. J'ai appris énormément et je continue d'apprendre. J'ai fortement l'impression que ce livre aura une suite, car nous ne faisons que commencer à comprendre les images qui sont générées par le cœur.

Ce qui suit est une partie de ce que j'ai appris. Avant d'aborder le sujet, j'aimerais toutefois émettre une réserve. Ce que je sais maintenant, je l'ai appris par expérience

directe ou par l'expérience de certains de mes étudiants.
Parfois, nous ne comprenons pas immédiatement ce qui se
passe. Ce que je m'apprête à vous dire est ce que j'estime
être vrai en ce moment, mais il se peut bien que je change
d'avis en ce qui concerne quelques détails. Vous devez donc
suivre votre cœur et être fidèle à vous-même. Si certaines
choses contenues dans ce livre ne fonctionnent pas pour
vous, mettez-les de côté. Je suis sûr qu'il existe pour vous
une façon de trouver l'espace sacré de votre cœur.

Au cours des deux premières années où je donnais des
ateliers sur l'espace sacré du cœur, j'ai constaté que seulement la moitié des participants réagissait. La moitié du
groupe maîtrisait parfaitement ce que j'enseignais, tandis que
mon enseignement échappait totalement à l'autre moitié. J'ai
finalement décidé de mentionner la chose au début de chaque
atelier, disant aux participants que la moitié d'entre eux
trouveraient l'espace sacré contenu dans leur cœur et que leur
vie en serait transformée, mais que les autres repartiraient
sans l'avoir trouvé. Pourquoi donc en était-il ainsi?
me demandais-je.

J'ai passé bien des heures à étudier la question. D'après
les réponses de centaines de personnes qui n'avaient pas
réussi à trouver l'espace sacré du cœur, il semblerait que le
corps émotionnel soit en cause. En effet, ceux qui ont connu
des traumatismes émotionnels à un moment quelconque de
leur vie ressentent de nouveau cette souffrance lorsqu'ils
reviennent dans l'espace sacré du cœur, et, pour cette raison,
ne veulent pas y rester. Cela veut donc dire qu'il vous faudra
peut-être éliminer les scories émotionnelles par une thérapie
avant de commencer. Ceux qui découvre une manière de se
débarrasser de leur énergie émotionnelle négative, quelle que
soit la technique employée, peuvent par la suite entrer dans
l'espace sacré du cœur sans malaise ou presque. Une fois
qu'ils y sont, ne serait-ce que pendant quinze minutes, tout ce
qui auparavant les avait empêchés d'y entrer semble se

dissoudre. Ils n'ont ensuite aucune difficulté à retrouver cet espace sacré.

J'ai rencontré aussi un autre problème : les différentes façons dont les gens «voient». Certains voient sous forme de visions et de rêves, en se servant de leur faculté de vision intérieure ; d'autres se servent du son et de l'ouïe pour percevoir les mondes intérieurs, et d'autres encore se servent de l'odorat, du goût ou des sensations corporelles, c'est-à-dire le toucher. Ce qui fait que les attentes des gens quant à la façon dont chacun est «censé» faire cette expérience viennent parfois fausser les choses. L'anecdote qui suit le démontre clairement. Dernièrement, après un atelier, une femme et un homme mariés sont rentrés chez eux, la femme ayant réussi à trouver l'espace sacré du cœur et l'homme, pas. (Même si je prépare les gens à cette éventualité, ils peuvent néanmoins être déçus et découragés si tel est le cas.) Le mari, qui avait l'impression d'avoir raté l'expérience, dit à sa femme : «Je suis déçu que rien ne soit arrivé quand je suis entré en méditation. Je n'ai absolument rien vu. Mais je dois admettre que le CD que Drunvalo a fait jouer, avec des sons de dauphins et de baleines, était fantastique. La musique était si bonne que je pouvais presque sentir l'eau sur mon corps.» Étonnée, sa femme lui fit remarquer que je n'avais pas fait jouer de CD. En fait, il n'y avait pas eu de musique du tout. Il ne finit par la croire qu'après avoir posé la question à un autre participant, qui lui confirma qu'il n'y avait eu aucune musique, aucun son de dauphins et de baleines. Comme cet homme était un musicien, c'était sa façon à lui de «voir». Il s'était attendu à «voir» une vision. À la place, il avait «entendu» une vision.

Nous découvrons maintenant que beaucoup de gens qui croyaient ne pas avoir fait l'expérience de l'espace sacré du cœur l'avaient effectivement faite. Mais comme elle ne correspondait pas à leurs attentes, ils n'en avaient absolument pas tenu compte.

La vibration du cœur et le retour aisé

Une des premières choses que j'ai remarquées lorsque je suis entré dans l'espace sacré du cœur fut une vibration qui semblait provenir de partout. De toute évidence, il ne s'agissait pas des pulsations cardiaques, car le son était continu, tout comme le son AUM, bien que différent. (Chaque fois que je me suis trouvé dans la chambre royale de la grande pyramide de Gizeh, en Égypte, j'ai ressenti une vibration qui semblait provenir de partout, même des pierres que je touchais. J'en ai parlé avec beaucoup de gens qui ont aussi ressenti cette vibration dans la pyramide et je crois que c'est exactement la même que celle du cœur.)

Lorsque vous serez entré dans l'espace sacré du cœur et que vous entendrez cette vibration, la première chose à faire consistera à la reproduire avec votre voix. Il n'est pas nécessaire d'atteindre la perfection, mais le son doit en être aussi proche que possible. Ce faisant, vous reliez le monde intérieur du cœur avec le monde extérieur du mental.

Ma femme a appris cette ancienne technique provenant d'Israël auprès de Mme Kolette, de Jérusalem, qui souligne que c'est toujours important de le faire. Je suis d'accord, surtout après avoir vu tant de gens qui l'employaient entrer dans l'espace du cœur. Cette technique permet d'enraciner dans le monde physique l'expérience de la vibration du cœur, cet enracinement étant par ailleurs un excellent moyen de revenir au monde physique.

Une fois que vous avez connu l'espace sacré du cœur et que vous voulez y revenir, il suffit de vous syntoniser sur la vibration du cœur en fredonnant le son qu'il émet. Ce faisant, vous sortez du mental et entrez dans le cœur. La vibration vous mène directement dans l'espace sacré du cœur et il devient ensuite de plus en plus facile d'y avoir accès. À un moment donné, le mouvement du mental au cœur peut s'exécuter en deux ou trois secondes.

Mon expérience personnelle
de l'espace sacré du cœur

Avant de commencer, j'aimerais préciser que votre expérience et la mienne peuvent être complètement différentes et sembler n'avoir absolument rien en commun. Même s'il existe plusieurs similitudes entre deux personnes, comme entre les flocons de neige, dites-vous bien que chaque personne est unique. Ne vous créez donc pas d'attentes. Plus vous aurez les yeux et les sens ouverts comme ceux d'un enfant lorsque vous entrerez dans le cœur, plus votre expérience sera aisée et directe. Je vous fais part d'autres expériences pour qu'elles vous servent d'exemple, et non de référence immuable.

Vers le milieu des années 80, alors que je méditais dans le Merkaba, le corps de lumière humain, je me retrouvai soudainement et de façon tout à fait inattendue dans une grotte creusée dans la pierre. Cette vision était totalement réelle.

Une extrémité de la grotte était arrondie, en forme de dôme, et totalement vide à part une zone où je voyais une couronne de pierre d'environ trente centimètres de hauteur et un mètre et demi de largeur, remplie de sable siliceux blanc. Tout le long du mur gauche de la partie centrale s'étalaient une vingtaine de photographies de personnes, et ces photographies paraissaient incrustées dans le roc. Je ne reconnus aucune de ces personnes ni ne compris d'ailleurs pourquoi ces photos étaient là. Sur le mur opposé, il y avait une ouverture d'environ trois mètres de largeur sur cinq mètres de hauteur. Un mur de lumière blanche bloquait la vue sur ce qui se trouvait au-delà de l'ouverture. Je savais d'instinct que derrière la lumière, quoi que ce fût, était quelque chose qui m'était caché par moi-même. Je savais que j'avais créé ce mur de lumière, mais j'ignorais tout à fait pourquoi.

Quand je me «déplaçais» dans cette grotte, tout me semblait familier mais j'avais en même temps l'impression d'être là pour la première fois. Tout à fait à l'extrémité de celle-ci,

Ma grotte

il y avait un escalier taillé à même le roc, descendant en colimaçon vers un autre plan. Dans ce plan, il y avait une lumière verte qui ne faisait pas d'ombre et qui semblait provenir de l'air même. Je vis de nombreuses pièces scellées; je pense qu'il y en avait des centaines. Ma petite voix intérieure me dit que cette partie concernait mon avenir et je retournai donc dans la salle principale.

Au cours de mes méditations, je retournais souvent dans ma grotte, environ toutes les deux semaines, sans même le faire exprès. Jamais rien ne changea dans ce lieu, et je n'y découvris jamais rien de nouveau, du moins pendant les douze mois qui suivirent sa découverte.

Puis, un jour, alors que j'étais assis en tailleur dans la couronne remplie de sable siliceux se trouvant en face du mur de roc (j'avais découvert que lorsque j'occupais cet endroit je ne pouvais en sortir avant la fin de ma méditation et j'avais donc pris l'habitude d'aller m'asseoir dans le sable parce que je m'y sentais très bien), je remarquai une vibration étrange qui, une fois que je l'eus ressentie, fut partout. Cependant, dès que je posais le pied en dehors de cette couronne, le ton de la vibration baissait. Avec le temps, je compris que cette vibration était la même partout dans la grotte, sauf dans la couronne remplie de sable siliceux. Le changement de ton fut la première indication que cette zone circulaire recélait quelque chose de particulier pour ma méditation. Cette couronne m'avait toujours attiré et j'y méditais pendant des heures. Mais, à dire vrai, je n'avais aucune idée du sens de tout cela.

Un jour, alors que je méditais une fois de plus dans cette zone circulaire, assis en face du mur de pierre, je remarquai que ce dernier s'était mis à devenir transparent. À ma grande surprise, lorsque je le touchai dans sa portion transparente, ma main passa à travers la pierre. Poussé par la curiosité, je me penchai par-dessus le rebord de la couronne pour enfoncer ma main aussi loin que possible dans la pierre. C'est tout mon corps qui passa alors à travers le mur et je me retrouvai en dehors de la grotte, à la surface d'une planète, dans une profonde crevasse sur le flanc d'une très haute montagne.

Je me hissai en dehors de la crevasse afin de jeter un regard aux alentours. Il faisait nuit et le ciel était rempli d'étoiles. Je ne voyais cependant aucun signe de vie nulle part, que des rochers. Quelques minutes plus tard, je rentrai dans la crevasse et tentai de retourner dans ma grotte, mais me heurtai à un solide mur de pierre. Ne sachant trop que faire, j'eus peur pendant quelques instants.

Je demeurai face au mur impénétrable un moment, puis je me souvins de la vibration de la zone circulaire de la grotte. Aussitôt que je me mis à émettre ce son et qu'il traversa mon corps, la paroi rocheuse commença à redevenir transparente. Je la traversai donc et revins dans mon cercle de sable.

Après avoir compris le procédé et pendant environ un an, je passai régulièrement à travers la paroi rocheuse et allai faire de longues promenades dehors pour explorer les lieux. Cette réalité était tout aussi réelle que ma réalité ordinaire sur terre. En tout cas, je ne pouvais établir de différence. Je me sentais respirer, et, si je touchais une pierre, la sensation était la même que si j'en touchais une dans le monde habituel.

Tout était exactement pareil, à part cette vibration qui ne cessait jamais et cette lumière dénuée d'ombre.

À cette époque, je vivais avec une famille amérindienne dans les plaines du haut désert, à l'extérieur de Taos, au Nouveau-Mexique. Un vieil autobus de marque Chevrolet datant de 1957 et un tipi blanc traditionnel installé près du véhicule constituèrent ma demeure durant environ deux ans et demi. Cette modeste habitation était le centre de mon existence.

Par une nuit sombre et un froid intense, alors qu'une tempête de neige faisait rage, on frappa à la porte de l'autobus. J'étais sidéré que quelqu'un cogne à ma porte par un tel blizzard, car j'habitais à un kilomètre et demi de la route asphaltée la plus proche. Une jeune femme d'environ vingt ans se tenait derrière, grelottant et me demandant asile. Je l'invitai évidemment à entrer.

Quand elle eut rabaissé son capuchon et que tout son visage fut visible, j'eus l'impression de l'avoir déjà vue quelque part. N'arrivant pas à me rappeler où, je lui demandai en quels lieux ou circonstances nous aurions pu nous rencontrer. Puis soudain j'en eus la révélation : c'était sur le mur de ma grotte! Elle figurait sur la première photo! Dès que j'en eus l'occasion, je retournai méditer là-bas et, de fait, sa photo était sur le mur de pierre. Cette jeune femme resta avec moi environ un an; elle exerça une immense influence sur ma vie grâce aux visions spirituelles dont elle me fit part.

Au fil des années, les gens figurant sur les photos qui semblaient incrustées dans le mur de ma grotte entrèrent successivement dans ma vie pour me faire part d'informations et d'expériences qui me furent, et me sont encore, extrêmement précieuses. Cependant, à l'époque où je rencontrai cette jeune femme, je ne savais pas du tout ce que représentait cette grotte ni pourquoi je m'y retrouvais quand je méditais. Tout ce que je savais, c'est que ce lieu était extrêmement important pour ma vie sur cette terre.

Le retour au bercail

L'ouverture de cinq mètres de hauteur et le mur de lumière ne changèrent jamais au fil des années, jusqu'en janvier 2002. Je me trouvais alors en Allemagne, animant un atelier où j'enseignais à vivre dans le cœur. Le groupe venait d'entrer dans l'espace sacré du cœur pour la première fois et je me trouvais aussi dans cet espace sacré, où, selon mon habitude, j'étais allé dans ma grotte. J'avais fini par comprendre qu'elle était située dans l'espace de mon cœur. Cependant, en allant vers le mur de lumière, je remarquai que la lumière opaque qui cachait l'ouverture était légèrement transparente. Cela ne s'était jamais produit auparavant et je me demandais ce qui allait arriver.

Après que nous fûmes tous sortis de l'espace sacré du cœur, je décrétai une pause d'environ une demi-heure pour tout le groupe. Je m'apprêtais à quitter la salle pour aller dans ma chambre lorsqu'une femme s'approcha et me dit qu'elle avait un cadeau pour moi.

Elle me raconta qu'en marchant sur une plage de Grèce, sans penser à rien d'autre que la beauté de l'endroit, elle avait remarqué dans le sable un galet d'un aspect très particulier. L'ayant ramassé, ce galet lui avait aussitôt dit: «Apporte-moi à Drunvalo.» Et c'est exactement ce qu'elle avait fait. Comme elle l'avait enveloppé dans un morceau d'étoffe, je n'ai pu le voir quand elle me l'a donné. Je la remerciai et partis vers ma chambre, le galet en main. Lorsque je le déballai, je fus médusé par son aspect inhabituel. Je n'avais jamais rien vu de semblable, comme s'il provenait d'une autre planète.

La première chose que je fis avec ce galet fut de méditer en le tenant devant mon troisième œil. Sans aucune préméditation, je me retrouvai devant le mur de lumière de ma grotte. Quelques instants plus tard, le mur de lumière disparut complètement et je pus enfin voir ce qu'il y avait derrière cette ouverture qui avait attisé ma curiosité pendant des années.

Le galet

Il y avait là les cieux dans toute leur splendeur. En plein centre de l'ouverture, je voyais la constellation d'Orion, exhibant clairement les trois étoiles de sa ceinture. Soudain, un faisceau de lumière vive et spiralée arriva de la zone située près de l'étoile centrale de la ceinture d'Orion et s'amplifia jusqu'à envelopper tout mon corps.

Je me souvins alors de tout ce que mon Père divin m'avait dit, quand j'avais quitté la treizième dimension, sur la façon dont mon esprit devait se mouvoir pour repérer son chemin vers la Terre. Je savais maintenant comment me déplacer pour rentrer au bercail. D'un côté, j'étais heureux de me rappeler ce que j'avais délibérément oublié, mais de l'autre, j'étais inquiet. Cela signifiait-il que j'allais quitter la Terre et rentrer au bercail? Un de mes anges m'apparut immédiatement pour me rassurer et m'apprendre que je ne partirais pas maintenant mais que ce vortex, ce faisceau de lumière dorée et spiralée, me donnait accès à une nouvelle forme de communication dont je ferais usage dans le futur et qui serait d'une importance primordiale. Me rappeler le mouvement de l'esprit était important pour une autre raison que je devais comprendre bientôt.

Je sortis de ma méditation et me mis à pleurer tout en tenant encore le galet contre mon front. Les émotions qui m'envahirent à la suite de ce rétablissement de contact avec le Père divin furent un réel soulagement.

Alors que je revenais de la pause et que je m'apprêtais à reprendre mon enseignement, la même jeune femme revint me voir. «Je ne vous ai pas donné au complet le message du galet tout à l'heure. Il m'a dit: «Donne-moi à Drunvalo. Ce que je suis l'aidera à se rappeler comment rentrer au bercail.» Bouche bée, je pris cette femme dans mes bras pour la remercier du fond du cœur. La vie est vraiment incroyable!

●   ●   ●

Avec du recul, je constate que ce n'est qu'après avoir rencontré les Kogis de Colombie que je suis devenu pleinement conscient que la grotte dans laquelle j'étais pendant la méditation du Merkaba était liée à l'espace sacré du cœur. Ce sont eux qui m'ont éclairé sur ce lien, ce dont je leur serai éternellement reconnaissant.

Qu'est-ce que le temps?

Et la magie commença alors vraiment... Au cours d'un autre atelier, en 2002, j'entrai en méditation et me retrouvai dans l'espace sacré du cœur. Comme d'habitude, je me dirigeais vers mon cercle de sable pour y méditer lorsque je vis que la couronne était remplie d'eau jusqu'aux bords, comme une baignoire. L'eau avait débordé et coulait sur le sol, vers une brèche de l'autre côté de la zone arrondie, où elle disparaissait entre le plancher et le mur.

La couronne remplie de sable était devenue une grande cuve remplie d'eau claire qui débordait.

Ce spectacle me fit une drôle d'impression. Je ne m'attendais pas à cela et restai perplexe. Ne sachant trop que faire ni pour quelle raison cela arrivait, je restai là à regarder l'eau couler. Soudain, une vague de 30 à 60 centimètres de hauteur se souleva et passa par-dessus le rebord de la cuve, se déversa sur le sol et se mit à couler vers la brèche qui s'était agrandie afin d'accueillir les flots abondants.

La quantité d'eau continua d'augmenter jusqu'à devenir inquiétante. Comme je ne savais vraiment pas quoi faire, je restai un moment près de ce qui était maintenant devenu une cascade, en pensant: «Mon Dieu, mais qu'est-ce qui se passe?» Finalement, un peu déboussolé, je cessai de méditer.

Le jour suivant, pendant l'atelier, je retournai dans l'espace du cœur et vécus une expérience qui devait modifier ma vie méditative à jamais. L'eau continuait de couler, mais elle s'était réduite à un courant continu, quoique encore important. Le rebord de la cuve de pierre avait grandi et mesurait environ un mètre. Cela ressemblait maintenant à un jacuzzi. Je voulais entrer dans l'espace sacré du cœur, mais j'hésitais, me demandant si je devais le faire ou pas. Finalement, je sentis que je pouvais y aller, comme d'habitude. Je montai donc dans la cuve remplie d'eau tourbillonnante. L'eau était fraîche mais agréable, de la température de la pièce, et aussi extrêmement pure et transparente. Tandis qu'elle coulait tout autour de moi, je commençai à méditer, fixant des yeux le mur de pierre devant moi. Lentement, celui-ci se mit à devenir transparent et je cédai au besoin pressant de passer à travers lui.

Au moment où je sortais de la familière crevasse rocheuse hors de laquelle je pouvais voir la planète aride, je fus saisi par un spectacle inhabituel. Cette planète «imaginaire» n'était plus un désert! Partout, aussi loin que je pouvais voir, une abondante végétation se déployait. Une jungle virtuelle s'étalait sous mes yeux dans toutes les directions, à perte de vue jusqu'à l'horizon. Comment cela se pouvait-il?

À peine cette pensée venait-elle de me traverser l'esprit que l'image de l'eau débordant de la cuve m'apparut. Je compris alors que cette eau avait donné vie à la planète. Mais les plantes étaient tellement grandes déjà! Se pouvait-il que le temps, dans ce monde, soit différent de ce que je pensais? Je me posais tellement de questions!

Après un long moment de contemplation, je revins à mon espace sacré intérieur et dans mon corps. De retour dans le monde de la matière, je passai des journées entières à réfléchir sur le sens de ma dernière expérience. Qu'est-ce que cela représentait en réalité? Mes anges, ceux qui m'aident spirituellement, gardèrent le silence, me laissant tirer mes propres conclusions.

Exemples d'autres espaces sacrés

Plus d'un millier de personnes m'ont fait part de leurs expériences de l'espace sacré du cœur. Même s'il existe des similarités entre ces diverses expériences, il est évident que les images provenant du cœur ressemblent davantage à une réalité onirique qu'à la réalité figée et structurée dans laquelle nous vivons tous.

La nature des expériences vécues par les gens couvre un large éventail. Prenez garde de ne pas avoir d'attentes précises. Entrez dans votre espace intime avec le cœur ouvert et l'innocence d'un enfant. Vos expériences seront uniques. Voici quelques exemples d'expériences vécues par différentes personnes, qui vous permettront d'avoir une idée de la diversité de l'espace sacré du cœur.

«Lorsque j'ai demandé que mon espace sacré se remplisse de lumière, c'est arrivé instantanément. J'ai été très heureux lorsque cela s'est produit, car habituellement, rien ne se passe quand je le demande. C'était une douce lumière incandescente, pas une lumière vive comme à la maison. En regardant autour de moi, j'ai réalisé que j'étais dans un grand temple raffiné de style égyptien. La seule différence, c'est que les pierres semblaient être électriques et émettre de la lumière. Il y avait également des hiéroglyphes sur les murs. Quand je me suis approché pour mieux les voir, ils se sont mis à danser comme s'ils étaient vivants. Il y en avait une ligne d'une vingtaine que je comprenais parfaitement. Je ne pourrais vous en dire le sens, mais mon cœur le connaissait et je me suis mis à pleurer.»

● ● ●

«En me retournant, j'ai vu une très grande porte ouverte. Je l'ai franchie et je me suis retrouvé dans une autre pièce, où il y avait une belle femme majestueuse aux longs cheveux noirs et aux yeux noirs habillée d'une longue robe dorée. Elle semblait égyptienne. Elle m'a pris la main sans pro-

noncer une seule parole et m'a conduit vers une petite pièce toute simple. Elle m'y a fait entrer et a disparu. J'ai su immédiatement, sans le moindre doute, que j'étais entré dans mon espace sacré.»

● ● ●

«Soudain, la pièce a commencé à changer de forme et a continué de s'agrandir jusqu'à ce qu'elle fasse un kilomètre de largeur. Elle a encore continué de s'agrandir jusqu'à ce que les murs disparaissent. C'est à ce moment-là que j'ai réalisé que j'étais dans un espace très profond. Puis vous (Drunvalo) nous avez demandé de revenir.»

● ● ●

Un jeune homme qui s'attendait à ce que rien ne se passe, parce que, disait-il, «c'est toujours comme ça», nous relata l'expérience suivante :

«Lorsque j'ai demandé que la lumière se fasse, rien ne s'est produit. Alors, j'ai essayé de sentir comment je pouvais me déplacer comme vous (Drunvalo) l'aviez suggéré. Étrangement, je savais où j'étais et tout m'était familier. Je me suis alors tourné vers la gauche et, presque comme dans une peinture impressionniste, j'ai vu apparaître les contours à peine visibles de quelque chose qui semblait tout près.

«Peu à peu, j'ai réussi à deviner des formes, qui sont devenues rapidement de plus en plus lumineuses jusqu'à ce que je sois dans un monde fait uniquement de lumière. Ce que je veux dire, c'est que ce n'était pas quelque chose de solide, mais plutôt semblable à un hologramme. La lumière s'est mise à bouger et à former des dessins géométriques. Je me sentais également bouger, puisque je suivais un des rayons lumineux jusqu'à sa source. La beauté était intense et la sensation de déplacement rapide, exaltante. Cette force lumineuse, quelle qu'elle fût, continuait de me tirer vers elle et je pouvais la voir. Des rais de lumière arrivaient de tout l'univers jusqu'à cet endroit dont je me rapprochais rapide-

ment. *La grandeur et la magnificence de cet événement étaient de nature galactique. Je me sentais tel un grain de poussière.*

«En coulant comme du mercure vers le centre de ce champ de lumière, je savais que je rentrais au Bercail, avec un grand B. J'avais déjà été là. Au centre de la lumière, il y avait une boule d'eau vivante. Je me suis glissé dans cette boule d'eau remplie de lumière juste au moment où vous nous avez demandé de revenir. Je ne voulais pas que cette expérience s'arrête. Je ne voulais pas revenir. Je me sentais tellement vivant! Mais je sais que cette expérience se répétera.»

Et les témoignages se multiplient à l'infini, toujours différents, toujours très particuliers à celui ou celle qui se retrouve dans l'espace du cœur. Après en avoir entendu des centaines, il devient évident qu'il existe dans le cœur une réalité autre qui est aussi importante et peut-être plus fondamentale que le monde structuré de la pensée dans lequel nous semblons tous vivre.

Ce qui peut vous empêcher de faire cette expérience

Il existe des raisons pour lesquelles certaines personnes ne peuvent entrer dans l'espace sacré du cœur ou, si elles réussissent à le faire, se sentent obligées d'en sortir immédiatement. Il m'a fallu presque deux ans d'enseignement et d'écoute avant de découvrir ces raisons. Comme j'y ai fait allusion plus haut, ceux qui ont vécu des expériences traumatisantes dans leur vie, en particulier des expériences négatives sur le plan des relations et de l'amour, revivent leurs souffrances quand ils entrent dans l'espace sacré du cœur. Comme cela est trop douloureux, ils sentent qu'ils doivent en sortir. C'est là l'empêchement principal.

Il y a aussi le problème de la peur, en particulier celle de l'inconnu. Certaines personnes réalisent instantanément, quand elles commencent à faire l'expérience des images du cœur, à quel point ces images sont réelles. La peur s'empare alors de leur esprit et les chasse du cœur. J'ai découvert que dans un tel cas, si on peut faire en sorte que la personne reste un tant soit peu dans cet espace du cœur, la peur se dissipe et tout se passe bien. Le secret est d'amener la personne à rester dans cet espace suffisamment longtemps pour que la peur se dissipe.

En troisième lieu, comme je l'ai mentionné plus haut, les gens s'attendent à «voir» d'une certaine façon et ne réalisent pas qu'ils peuvent «voir» autrement, c'est-à-dire par l'ouïe, le toucher, l'odorat ou le goût.

Si, au début de mes ateliers, seulement la moitié des participants pouvaient entrer dans l'espace du cœur, depuis janvier 2002, après que j'eus compris ce qui empêchait les gens d'y accéder, les choses ont changé. Au cours de l'atelier que j'ai alors animé en Allemagne, 174 personnes sur 180 ont réussi à entrer dans cet espace sacré. Cependant, nous sommes toujours en train d'apprendre ou de nous souvenir.

Chapitre cinq

L'union entre le Ciel et la Terre

Méditation de l'unisson

En Harmonie avec la Mère divine

En harmonie avec le Père divin

La Sainte Trinité est bien vivante

Mon tour sur scène

C'est si simple

*L*es peuples indigènes m'ont appris une chose fondamentale: avant toute cérémonie importante, il faut
établir un contact d'amour avec la Terre Mère et le Ciel Père.
Et, par ce contact, entrer ensuite en communion avec le
Grand Esprit, Dieu. Il en va exactement de même quand on
veut entrer dans l'espace sacré du cœur. Si on ne le fait pas,
cet espace restera difficile à atteindre.

Ce que je m'apprête à vous raconter, je l'avais d'abord
appris en 1981 de la bouche d'un de mes mentors de Taos
Pueblo, Jimmy Reyna, et j'en avais une connaissance simple
et peu sophistiquée. Mais est intervenu ensuite dans ma vie
un grand maître spirituel de la tradition du kriya yoga, qui
m'expliqua ces connaissances en termes précis.

En 1994, je me trouvais à Jekyll Island, dans l'État de
Géorgie, où avait lieu l'événement «The Solar Heart» («Le
cœur solaire»). Divers enseignants spirituels montaient sur
scène à tour de rôle pour amener l'auditoire à une union sans
cesse plus grande avec l'Esprit. Mon tour allait venir bientôt
et je me trouvais en coulisses, dans une petite loge, assis
devant un autel de méditation où quelqu'un avait installé une
bougie allumée devant une série de photographies de personnes réalisées. Il y avait là les photos de Krishna, Jésus, Babaji,
Lahiri Maharshi, Sri Yukteswar et Yogananda. Je savais que
quelqu'un viendrait me chercher avant que je n'entre en
scène et je savais aussi ce dont j'allais parler. Il ne me restait
donc rien d'autre à faire que de me centrer. Et, pour moi, la
meilleure façon d'y parvenir en tout temps, c'est de méditer.

Je saluai la grandeur de ces maîtres spirituels et fermai les
yeux pour méditer. Peu à peu, le monde autour de moi
commença à s'estomper et mon taux énergétique se mit à
augmenter. C'est alors qu'une vision s'imposa à moi. Ce simple instant modifia le cours de la soirée que je passai avec
mon auditoire et, par la suite, le cours de presque toute ma vie
spirituelle.

Sri Yukteswar m'apparut avec une expression noble sur le visage. Même si j'ai entretenu une relation étroite avec Yogananda, le disciple de Sri Yukteswar, je n'avais jamais vraiment pensé à ce dernier lui-même. Et voilà qu'il m'apparaissait!

Sri Yukteswar

Méditation de l'unisson

Sri Yukteswar alla directement au but, comme je vais maintenant le faire ici. Il me dit qu'en Inde personne ne pourrait jamais envisager d'entrer en contact avec le divin à moins d'être dans un certain état d'esprit et de cœur. Il me donna des instructions très précises quant à la façon exacte d'entrer consciemment en contact avec l'Esprit divin ou Dieu. Voici ses paroles: *«Peu importe où je suis, je me crée un autel avec une simple bougie pour focaliser mon attention. Je sens et reconnais la présence de mes maîtres.*

Ensuite, nous nous mettons à respirer tous ensemble, comme si nous ne faisions qu'Un.»

En harmonie avec la Mère divine

«Portez votre attention sur un lieu de la Terre qui vous semble le plus bel endroit du monde. Peu importe où: un paysage montagneux avec des lacs et des rivières ou un désert de sable aride et sans presque aucune vie. Il suffit que ce paysage soit beau à vos yeux. Voyez-y autant de détails que possible.

«Par exemple, dans le cas d'un paysage montagneux, voyez les montagnes et les nuages cotonneux. Voyez et sentez les arbres de la forêt s'agiter sous l'effet du vent. Voyez les animaux, les cerfs et les élans, les lapins et les écureuils. Baissez les yeux et voyez l'eau limpide des rivières. Commencez à ressentir de l'amour pour ce lieu et pour la nature tout entière. Laissez cet espace d'amour entre vous et la nature prendre de l'expansion jusqu'à ce que l'amour batte chaleureusement dans votre cœur.

«Lorsque vous sentez que le moment est propice, envoyez votre amour vers le centre de la Terre avec une intention consciente afin que la Terre Mère sente directement l'amour que vous lui portez. Vous pouvez, si vous le voulez, rassembler votre amour en une petite sphère pour l'envoyer à la Terre Mère. Mais ce qui compte surtout, c'est l'intention. Ensuite, attendez, avec l'esprit d'un enfant. Attendez jusqu'à ce que la Terre Mère vous envoie à son tour son amour et que vous le sentiez. Vous êtes son enfant et je sais qu'elle vous aime.

«Lorsque l'amour de la Terre Mère entre dans votre corps, ouvrez-vous complètement pour le laisser pénétrer partout en vous. Laissez-le entrer dans la moindre de vos cellules et circuler dans votre corps de lumière. Laissez-le aller là où il le veut. Sentez ce bel amour dont la Terre mère vous enveloppe et restez dans cette union avec la Terre Mère jusqu'à ce que vous ressentiez un sentiment de complétude.»

En harmonie avec le Père divin

« Au moment opportun que vous serez le seul ou la seule à pouvoir déterminer, et sans rompre le lien d'amour avec la Terre Mère, levez les yeux vers votre Père céleste. Levez les yeux vers le reste de la création qui s'étend au-delà de la Terre. Voyez le ciel d'une nuit étoilée. Voyez la Voie lactée avec ses spirales. Observez les planètes et la Lune qui tournoient autour de vous et de la Terre. Sentez le Soleil qui se cache derrière la Terre et réalisez à quel point l'espace est profond.

« Sentez l'amour que vous avez pour le Père, car le Père divin est l'esprit de toute la création, sauf celui de la Mère divine. Et quand cet amour devient tellement grand qu'il ne peut plus être contenu en vous, laissez-le se répandre vers les cieux avec votre intention. Une fois de plus, vous pouvez vous servir d'une petite sphère pour l'envoyer vers les cieux si tel est votre désir. »

Sri Yukteswar dit de rassembler votre amour en une petite sphère et, avec votre intention, de l'envoyer vers les cieux. Il vous invite à l'envoyer vers la grille de conscience de l'unité qui se trouve autour de la Terre. Si vous ne savez pas de quoi il s'agit, ne vous en souciez pas. Faites simplement ce que la plupart des peuples indigènes font, soit envoyer votre amour vers le Soleil. Le Soleil, à l'instar des grilles énergétiques, est relié à tous les autres soleils ou toutes les étoiles, en somme à toute vie dans l'univers. Certains peuples, dont les Hopis, qui vivent dans le sud-ouest des États-Unis, envoient leur amour au Grand Soleil central, un concept tout aussi valable même s'il n'est pas partagé par tous. L'important est de choisir un récipiendaire, quel qu'il soit. Le but est que votre amour atteigne la vie partout dans l'univers.

Sri Yukteswar continua son explication: *« Une fois que vous avez envoyé votre amour au Père divin, dans les cieux, attendez de nouveau. Attendez que le Père vous envoie à son tour son amour. Et il ne manquera pas de le faire, puisque vous êtes son enfant à tout jamais et qu'il vous aimera également à tout jamais. Et, comme vous l'avez fait avec l'amour de la Mère divine, quand vous sentez l'amour du Père divin entrer dans votre être, laissez-le se répandre là où il le veut. C'est l'amour de votre Père et il est pur.»*

La Sainte Trinité est bien vivante

«À cet instant-là se manifeste quelque chose qui se produit rarement: la Sainte Trinité est vivante sur Terre. La Mère divine et le Père divin se réunissent en vous dans l'amour pur, et vous, l'Enfant divin, complétez le triangle.»

Selon Sri Yukteswar, c'est seulement dans cet état particulier de conscience que Dieu peut être senti directement. L'étape finale de cette méditation consiste à devenir conscient de la présence de Dieu, autour de vous et en vous.

En ce qui concerne cette partie de la méditation, Sri Yukteswar m'avait initialement enseigné une façon très complexe d'être conscient de la présence de Dieu. Cependant, après en avoir discuté avec les sages de diverses tribus, je sens que nous pouvons simplifier la façon d'atteindre cet état ultime de conscience. En fait, c'est très simple: une fois que la Sainte Trinité s'est manifestée, vous pouvez devenir conscient de la présence de Dieu en ouvrant tout simplement votre cœur à sa présence. Pour une raison que seul Dieu connaît, sa présence est facilement perceptible quand l'état de la Sainte Trinité se manifeste en vous.

Sri Yukteswar me souligne que cette méditation s'appelait «méditation de l'unisson». Dieu est partout en tout temps, mais les humains ne le perçoivent pas toujours. Cette méditation nous amène directement et consciemment en sa présence.

Pour certains, cet état de conscience permet de finaliser tous les cycles créés par la vie. Autrement dit, il sert de porte d'accès à toutes les cérémonies sacrées de la vie, entre autres notre naissance en ce monde, le mariage sacré et même la mort. Pour les Amérindiens, cet état de conscience doit également accompagner les semailles et les récoltes. Il doit y avoir un lien entre le Grand Esprit et les cultures pour que celles-ci soient saines et abondantes.

La nature nous demande de cocréer avec Dieu ou le Grand Esprit pour aider les cycles de la nature à équilibrer la vie. Selon la Bible, nous sommes les gardiens du Jardin (la nature) tel qu'il est décrit dans l'histoire d'Adam et Ève. À l'époque moderne où nous vivons, nous en sommes toujours les gardiens, mais nous l'avons oublié. Sans ce contact étroit avec Dieu, nous sommes coupés de tout et perdus. Cette méditation donnée par Sri Yukteswar nous permettra donc de nous ressouvenir de Dieu et de nous rappeler l'espace sacré du cœur permettant d'y accéder.

Mon tour sur scène

Sri Yukteswar prit alors une expression sérieuse et, me regardant droit dans les yeux, me dit: *«Drunvalo, je veux que vous alliez sur scène aujourd'hui pour enseigner cette méditation à l'auditoire.»* Son regard me signifiait que sa demande était sans équivoque et je compris que je devais obtempérer. Il me salua alors en s'inclinant et disparut.

Lorsqu'on vint frapper à la porte de ma loge pour m'inviter à entrer en scène, je me levai aussitôt, mais j'avais l'esprit confus. Je ne savais que faire. J'avais prévu les propos que j'allais tenir, mais la demande de Sri Yukteswar l'emportait maintenant sur tout. Je dis donc au machiniste que j'arriverais dans une minute, puis je refermai la porte et fis appel à mes anges. Ils me conseillèrent de faire ce que Sri Yukteswar me demandait et m'assurèrent que je comprendrais plus tard. Je suivis leur conseil, et tout se passa selon leurs prévisions.

Une fois devant les gens, je leur racontai ce qui venait de se produire et leur signifiai que nous entrerions dans un état méditatif que Sri Yukteswar nous avait expressément recommandé d'expérimenter. Je guidai donc l'auditoire pas à pas dans cette méditation, suivant moi-même les instructions que je donnais. Puis ce fut le silence... et l'extase.

Après un très long moment, je fus sorti de ma méditation par un jeune homme qui me tirait par la manche en me rappelant que nous devions faire une pose-repas dans dix minutes. Tout le monde, sauf ceux qui encadraient le groupe, était plongé dans une profonde méditation. Je demandai alors aux gens de «revenir». Pour la première fois de ma vie, je vis plusieurs personnes en méditation si profonde qu'elles ne pouvaient ou ne voulaient en sortir.

Malgré plusieurs tentatives pour les «ramener», une trentaine encore ne voulaient tout simplement pas «revenir». On envoya quelqu'un auprès de chacune d'elles pour les tirer de leur état méditatif. Tous finirent par en sortir, sauf un jeune homme que nous pensâmes devoir faire transporter à l'hôpital. Il s'écoula encore vingt minutes, tandis que tous les autres avaient quitté pour le repas de midi, avant qu'il ouvre finalement les yeux.

Une seule question me vint à l'esprit: «Que s'est-il passé?» L'expérience que je venais de vivre persista longtemps après la méditation. Je pouvais encore sentir l'amour de ma Mère et de mon Père, ainsi que la présence de Dieu partout et en toutes choses. C'était sublime! C'était magnifique!

Avec le temps, j'ai appris à prendre mes précautions avant de faire la méditation de l'unisson. Quand on entre dans cet état d'union, on ne veut pas en sortir. C'est si bon! Je vous conseille donc, si vous faites cette méditation, de vous ménager tout le temps nécessaire, de débrancher le téléphone et de prendre les mesures voulues pour ne pas être dérangé. Laissez cette expérience s'épanouir comme une fleur estivale.

C'est si simple

Maintenant que vous connaissez la méditation de l'unisson, assurez-vous de toujours retrouver cet état de conscience avant d'entrer dans l'espace sacré du cœur. Sinon, celui-ci vous échappera sans cesse, malgré tous vos efforts.

Une fois que vous aurez atteint le niveau de conscience auquel cette méditation vous permet d'accéder, il vous sera de plus en plus facile de le retrouver, jusqu'à ce que vous réussissiez à y rester en permanence. C'est l'idéal, si j'en crois tous mes mentors qui connaissent cette méditation.

Je crois que la méditation de l'unisson crée en nous la vibration qui nous accorde le privilège de découvrir le Saint-Graal, l'espace sacré du cœur, l'endroit où Dieu a originellement créé tout ce qui est. C'est si simple. Ce que nous avons toujours cherché loge dans notre propre cœur.

Chapitre six

Quitter le mental pour entrer dans le cœur

Premier exercice : se déplacer dans le corps

Deuxième exercice : entrer dans le cœur

**Troisième exercice : « Om » pour la tête
et « Aah » pour le cœur**

Deux façons d'entrer dans l'espace sacré du cœur

*L*a méditation de l'unisson est une condition préalable pour pouvoir entrer dans l'espace sacré du cœur. Cependant, il faut encore surmonter deux autres obstacles pour avoir accès à ce dernier.

En premier lieu, la méditation de l'unisson ne suffit pas à l'esprit occidental pour trouver l'espace sacré et secret du cœur. Pourquoi? Parce que notre mental créera toujours une illusion pour nous éloigner de la vérité. Il nous dira toujours: «N'écoute pas ton cœur; il n'y a que moi qui connaisse la Source. Suis-moi ainsi que ma logique et tout sera parfait. Ma science est la seule façon de connaître la vérité.» En mettant en œuvre le processus de la pensée et de la logique, le mental vous maintiendra dans la tête, et, aussi longtemps que vous y resterez, vous ne trouverez jamais l'espace sacré du cœur. C'est le mental qui, depuis des millénaires, empêche bien des gens de reconnaître le pouvoir du cœur.

En second lieu, il faut être conscient de la capacité de l'esprit à se mouvoir dans le corps humain. Sans cela, tous les efforts pour trouver l'espace sacré du cœur resteront vains. Il faut d'abord constater que l'esprit peut se déplacer dans le corps, quittant littéralement la tête et le mental pour atteindre l'état totalement modifié de conscience et d'intelligence propre au cœur.

Mon expérience personnelle et celle de milliers de gens m'ont fait découvrir que le dépassement du processus humain de la pensée est très facile à effectuer, une fois que l'on a compris que c'est ce que l'on doit faire. Si, lorsque vous méditez, vous vous contentez d'écouter vos pensées et d'y réagir, vous restez pris au piège du mental, vos pensées se perpétuent et vous bloquent le chemin.

Il existe quelques types de méditation susceptibles de vous aider à dépasser ou à contourner le mental, dont la Vipassana. Cette méditation consiste à rester assis pendant des heures jusqu'à ce que l'on atteigne un point d'immobilité et de silence absolu. Mais il existe une méthode plus simple, qui consiste à amener l'esprit à quitter la tête et le mental. C'est la seule méthode que je connaisse pour entrer dans l'espace sacré du cœur.

Il m'est rarement arrivé de rencontrer quelqu'un qui savait que l'esprit humain peut se déplacer dans le corps. La plupart des gens à qui j'en parle me regardent comme si j'étais fou. Par contre, la plupart des peuples indigènes savent très bien de quoi je parle, car c'est exactement ce que leur démarche spirituelle les amène à expérimenter.

L'esprit humain est distinct du corps et, quand nous mourons, nous (notre esprit) quittons notre corps pour retourner vers un monde qui semble distinct de celui-ci. Le corps humain peut se comparer à un manteau dont on se revêtirait pour devenir humain et que l'on enlèverait pour devenir autre chose. Mes recherches m'ont permis de découvrir que, dans cette phase-ci de l'histoire de l'humanité, l'esprit humain est généralement localisé dans la glande pinéale, au centre de la tête. De ce fait, l'appréhension du monde, chez l'humain, se fait au moyen des yeux et se traduit par l'impression que le monde extérieur est dissocié de lui.

Il semble que l'esprit soit localisé directement derrière les yeux, même si nous pouvons sentir d'autres parties de notre corps. La plupart d'entre nous avons déjà fait l'expérience de placer notre attention dans d'autres parties de notre corps, une main ou un pied par exemple. Mais nous le faisons toujours et encore avec l'esprit logé dans la glande pinéale.

Il existe d'autres façons de sentir le corps humain et j'aimerais ici vous en enseigner une. Vous devez absolument comprendre et vivre réellement cette expérience pour pouvoir entrer dans l'espace sacré du cœur.

Premier exercice: se déplacer dans le corps

Il vous sera très facile de faire ce premier exercice si vous le considérez comme un jeu, et encore plus facile si vous

vous voyez comme un enfant. Ne le prenez pas au sérieux, car le sérieux est le propre du mental et il pourrait avoir une incidence sur les résultats. Ne pensez qu'à vous amuser! C'est en effet votre nature enfantine qui vous permettra d'entrer dans le cœur avec facilité, et non la pensée calculatrice de l'adulte.

- Placez votre attention dans votre main droite. Sentez-la de l'intérieur et soyez-y présent autant que vous le pouvez. Votre esprit se trouve-t-il encore dans votre tête, en train de sentir votre main? C'est ce qui arrive habituellement. (Je vous invite à faire cela parce que *ce n'est pas* de cela qu'il s'agit. Lorsque vous vous concentrez sur votre main, vous restez en effet dans votre tête.)

- Imaginez plutôt que votre esprit (vous) est séparé de votre corps, qu'il est une petite boule de lumière de la taille d'une bille.

- Avec la prochaine étape, nous allons sortir de la tête sous la forme d'une minuscule boule de lumière et nous diriger vers le chakra de la gorge. Pour commencer, je vais aborder les choses sur le plan de l'intellect afin que le mental soit préparé.

- Imaginez à cette fin un grand édifice doté d'un ascenseur extérieur fait entièrement de verre. Quand vous êtes dans l'ascenseur, vous pouvez voir tout l'édifice. Quand l'ascenseur descend et que vous vous rapprochez du sol, vous voyez le toit de l'édifice s'éloigner de vous. Votre position change donc et vous voyez effectivement le bâtiment à partir d'un autre endroit, n'est-ce pas?

- Maintenant, fermez les yeux (ceci est important) et utilisez uniquement votre imagination pour voir. «Voyez-vous comme une petite boule de lumière qui sort de la glande pinéale (ou de la tête) et qui descend, comme un ascenseur, vers le chakra de la gorge.

- Lorsque vous sortirez de la tête, vous verrez, en imagination, la tête s'éloigner de vous, comme le toit de l'édifice. Ne réfléchissez pas au processus, car cela interférera certainement avec celui-ci. Jouez simplement le jeu.

- Une fois que vous aurez atteint le chakra de la gorge, vous verrez ou ressentirez par votre vision intérieure que votre tête est au-dessus de vous et vous aurez l'impression de voir à partir de votre gorge. Prenez conscience de la douceur de la gorge tout autour de vous. Vous aurez l'impression d'être au même niveau que vos épaules. Vous pouvez y arriver !

- Si vous ne réussissez pas du premier coup, arrêtez et détendez-vous. Rappelez-vous de vous adonner à cet exercice comme s'il s'agissait d'un jeu. Persévérez jusqu'à ce que, par votre vision intérieure, vous puissiez voir ou sentir votre esprit sortir de votre tête et descendre vers votre gorge.

- Revenez dans la tête. Avec votre vision intérieure, vous verrez ou sentirez votre corps descendre lorsque l'esprit reviendra dans le crâne.

- Quand vous serez revenu au centre de la tête, assurez-vous d'être dans la bonne direction, c'est-à-dire de faire face aux yeux. (Peut-être trouvez-vous cela drôle ou évident, mais certaines personnes sont revenues dans leur tête en faisant face à l'arrière du crâne et se sont senties désorientées. Cela ne devrait pas vous arriver, mais, le cas échéant, il suffira de vous retourner vers vos yeux et tout se replacera rapidement.)

- Maintenant, quittez la tête et descendez de nouveau vers la gorge. Quand vous y serez rendu, prenez conscience des tissus délicats qui s'y trouvent.

- Revenez encore une fois dans la tête et constatez le changement de vision intérieure. Prenez conscience cette fois de l'os dur du crâne autour de vous. Sentez la différence.

- Une fois encore, descendez vers la gorge et prenez conscience de la douceur des tissus qui vous entourent. Sentez la différence.

● Cette fois-ci, nous allons aller un peu plus loin. Déplacez-vous de la gorge vers l'épaule droite. Avec votre vision intérieure (en supposant que vous faites encore face à l'avant de votre corps), remarquez que la tête est décalée vers la gauche. Sentez les os de votre épaule.

● Maintenant, descendez le long du bras en direction de votre main droite pour pénétrer dans la paume de votre main. Voyez tous les doigts autour de vous. Ils peuvent vous paraître très gros, car en ce moment vous êtes très petit. Sentez les doigts autour de vous.

● Revenez à l'épaule, puis à la gorge. Arrêtez-vous toujours à la gorge, qui vous sert de point de référence, avant de revenir dans la tête. Maintenant, revenez dans la tête, en vous assurant que vous faites face à l'avant du corps. Sentez la dureté de votre crâne tout autour de vous.

♥ ♥ ♥

Le premier exercice est fini. Si vous le désirez, vous pouvez vous exercer avec toutes les parties de votre corps, sauf le cœur. Revenez toujours à la gorge et arrêtez-vous-y suffisamment longtemps pour pouvoir vous orienter avant de revenir à la tête.

Deuxième exercice : entrer dans le cœur

Rendu à ce point-ci de l'exercice, vous êtes prêt à entrer dans le cœur. Cependant, avant d'entrer dans l'espace sacré du cœur, vous devez sentir la différence entre la tête et le cœur.

◉ Commencez, comme vous venez de l'apprendre, en fermant les yeux et en vous déplaçant de la tête vers la gorge.

◉ Attendez jusqu'à ce que vous sentiez que le moment est approprié et déplacez-vous alors vers le cœur physique (non vers le chakra du cœur). Dans votre vision intérieure, sentez ou voyez votre cœur et sentez-vous vous déplacer vers lui. Lorsque vous arrivez au cœur, continuez de vous déplacer pour y pénétrer en en traversant la paroi.

○ Entendez et sentez le cœur battre. Sentez la douceur des tissus qui vous entourent. Sentez à quel point c'est différent de la dureté du crâne. De toute évidence, le cœur est une énergie féminine, alors que la tête est une énergie masculine.

○ Bien que vous puissiez rester dans le cœur aussi longtemps que vous le désirez, il vaut mieux, au début, ne pas dépasser cinq minutes. Ne vous préoccupez pas, pour l'instant, de l'espace sacré du cœur. Occupez-vous seulement d'observer comment vous vous sentez dans le cœur.

○ Lorsque vous sentirez que le moment est venu, sortez du cœur en passant de nouveau à travers sa paroi et déplacez-vous vers la gorge. Arrêtez-vous-y quelques instants pour la sentir, et remontez ensuite vers la tête. Assurez-vous de faire face à la bonne direction.

○ Observez la façon dont vous vous sentez dans la tête et comparez-la avec celle dont vous vous sentez dans le cœur. Sentez la dureté des os du crâne et comparez-la avec la douceur des tissus du cœur.

Le deuxième exercice est terminé.

Troisième exercice : «Om» pour la tête et «Aah» pour le cœur

Nous allons faire ce dernier exercice trois fois de suite. Lorsque vous serez dans votre tête, chantez le son «Om», et lorsque vous serez dans votre cœur, chantez le son «Aah». Pour que tout soit clair, je vous demande d'émettre chacun de ces sons à l'endroit approprié. Cet exercice est d'une nature subtile, mais il aide vraiment à comprendre, dans vos cellules mêmes, tout ce que vous avez fait jusqu'à maintenant.

○ Tout d'abord, fermez les yeux et sentez la dureté du crâne autour de vous. Faites le son «Om» une fois avec votre voix. Sentez-le résonner dans votre crâne.

○ Maintenant, déplacez-vous vers votre gorge et arrêtez-vous-y un moment. Ensuite, déplacez-vous vers votre cœur. Avec votre vision intérieure, voyez-le se rapprocher de vous. Entrez dans votre cœur et sentez-le.

○ Faites le son «Aah» une fois et sentez la façon dont ce son résonne dans la douceur du cœur.

○ Quittez le cœur et déplacez-vous vers la gorge. Arrêtez-vous-y un instant, puis déplacez-vous vers la tête. Sentez la dureté du crâne et faites le son «Om».

○ Reprenez ces étapes deux autres fois. Ensuite, efforcez-vous de sentir à quel point ces deux endroits sont aussi différents que le masculin et le féminin.

Vous avez terminé le troisième exercice.

Deux façons d'entrer dans l'espace sacré du cœur

Lorsque les Kogis d'Amérique du Sud m'apprirent à entrer dans l'espace du cœur, ils me précisèrent que la meilleure façon de le faire était de se tenir debout dans une pièce totalement obscure, les yeux fermés, après avoir jeûné et veillé durant neuf jours et neuf nuits. Selon eux, cette technique permet à la Terre Mère et au chemin de se révéler.

Leur mode de vie facilite grandement cette méthode, mais pas le nôtre. La chose serait trop difficile pour la plupart d'entre nous. Ignorant presque tout du monde technologique, les Kogis me demandèrent d'enseigner cette manière d'entrer dans l'espace sacré du cœur. Je savais, quant à moi, que cela poserait un énorme problème. Je leur dis que cette méditation de neuf jours serait impossible à faire pour presque tous les humains du monde moderne. Certaines personnes pourraient peut-être y arriver, mais il fallait trouver une autre technique s'ils voulaient transmettre cette méditation au monde.

J'ai alors demandé à mon guide intérieur de m'aider, et deux autres façons m'ont été révélées. Je suis certain qu'il en existe bien d'autres, mais je sais que ces deux-là fonctionnent bien. En fait, l'approche importe peu. En effet, si votre cœur est pur, vous saurez y rester.

Cette entrée dans l'espace sacré du cœur ne fait pas appel à un processus d'apprentissage, mais plutôt à un processus de souvenance, car nous avons toujours résidé dans cet espace depuis le début. Nous avons choisi de détourner notre attention vers une conscience de polarité, mais je suis certain que nous reviendrons à l'état premier d'unité quand nous aurons compris comment entrer dans le cœur.

La première méthode que j'ai expérimentée était basée sur la découverte du champ toroïdal électromagnétique entourant le cœur (en particulier la découverte du petit tore contenu dans le grand tore) par l'institut HeartMath. En admettant que l'origine de cet énorme champ électromagnétique se situe dans l'espace sacré du cœur, on devrait, en suivant les lignes géométriques d'énergie de ce champ, se retrouver directement dans ce lieu sacré. Et j'ai découvert que c'est effectivement le cas.

La première méthode est de nature yang, c'est-à-dire qu'elle peut être transmise à quelqu'un d'autre et que les résultats seront toujours les mêmes, pourvu que cette personne fasse exactement ce qu'on lui dit. Malheureusement, les techniques yang ne fonctionnent pas très bien avec les personnes de sexe féminin. La seconde méthode, de nature yin, est tellement simple qu'il m'a fallu un certain temps pour la cerner.

Dans le chapitre suivant, je rassemblerai toutes les instructions en une seule méthode globale. Pour l'instant, il vous suffit de les comprendre mentalement. L'expérience viendra plus tard, lorsque nous arriverons à l'endroit où nous pourrons voir le cœur physique devant nous. À ce moment-là, avec notre vision intérieure, nous verrons ou sentirons le champ toroïdal entourant notre cœur et nous concentrerons notre attention sur le petit tore.

La méthode yang

Lorsque vous approchez du cœur et que vous apercevez le petit champ toroïdal, élevez-vous au-dessus de celui-ci jusqu'à ce que vous le voyiez d'en haut. Ce champ énergétique est un vortex qui, comme je l'ai déjà expliqué, tourne en spirale tout comme de l'eau s'engouffrant dans le conduit d'un lavabo. Le mouvement est plus lent sur le pourtour et plus rapide vers le centre, là où l'énergie afflue, comme l'eau dans le trou du lavabo. Chez certaines personnes, le vortex tourne dans le sens des aiguilles d'une montre, et chez d'autres, dans le sens contraire. Il semblerait que le sens de la rotation soit lié au genre (masculin ou féminin) et qu'il importe peu.

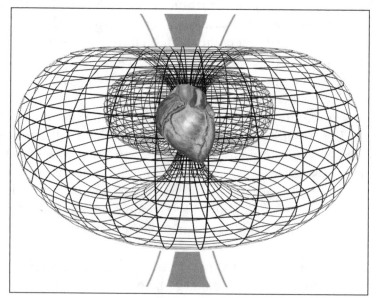

Lorsque vous apercevez le haut du champ toroïdal, voyez ou sentez le sens de sa rotation, puis, tout comme une feuille flottant sur l'eau d'une rivière, laissez votre esprit flotter sur cette énergie en spirale.

Sentez-vous ensuite tournoyer, d'abord lentement, puis de plus en plus vite en vous approchant du centre, pour finir par tomber dans le trou. Vous n'avez rien à craindre. Laissez-vous simplement aller et tomber. Bientôt vous réaliserez que tout est extrêmement immobile et paisible. Être dans l'espace sacré du cœur, c'est comme être dans l'œil du cyclone. Et maintenant vous y êtes.

La méthode yin

Comme je l'ai mentionné plus haut, cette méthode est si simple qu'elle m'a échappé en premier lieu. Les instructions sont faciles et l'expérience sera différente pour chacun d'entre vous. Peu importe que vous soyez un homme ou une femme; si la voie du cœur est la vôtre, alors cette méthode vous appartient.

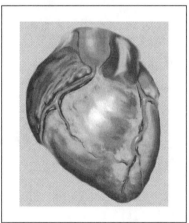

Tout ce que vous avez à faire, c'est de vous voir ou de vous sentir approcher de votre cœur et de vous donner la permission d'en traverser la paroi, comme vous l'avez fait plus tôt. Sauf que, dans ce cas-ci, vous devez laisser votre nature féminine prendre le dessus et votre intuition vous conduire vers l'espace sacré du cœur. Alors, lâchez prise et avancez, sachant pertinemment que vous allez entrer directement dans cet espace sacré.

● ● ●

Essayez une méthode et, si elle ne fonctionne pas, essayez l'autre. Rappelez-vous que vous êtes un enfant de Dieu et que vous connaissez ce lieu : vous et Dieu n'y avez toujours fait qu'Un. Toujours.

Chapitre sept

Méditation de l'espace sacré du cœur

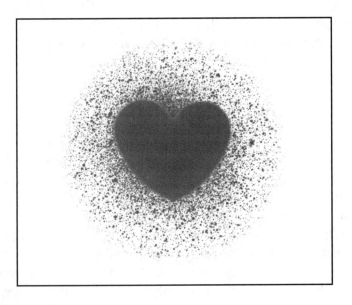

Préparation

Méditation de l'unisson

Méthode yang ou méthode yin

Première exploration de l'espace sacré du cœur

Retour à l'espace sacré du cœur

*V*oici venu le temps de passer à l'action, de faire réellement l'expérience de l'espace sacré du cœur. Si tel est votre choix, les paroles de ce chapitre vous conduiront vers ce que des milliers de gens ont expérimenté, vers le saint des saints – votre propre cœur, la source de la création. (Ce texte a été enregistré sur disque compact afin que vous n'ayez pas à lire pendant que vous méditez.)

N'ayez aucune attente. Ayez l'attitude d'un enfant, jouez avec toutes les possibilités. Si votre expérience est réelle, vous le saurez rapidement. Rappelez-vous les paroles de Jésus : «Si vous ne redevenez pas des enfants, vous n'entrerez pas dans le royaume des cieux.»

Préparation

Trouvez un endroit qui vous convienne parfaitement. Érigez un autel simple, fait d'une bougie et de fleurs fraîches. Choisissez un endroit où vous ne serez pas dérangé, autant pour vous rendre la méditation plus aisée que pour vous assurer d'un bon «retour».

Utilisez un coussin pour maintenir votre dos bien droit si vous décidez de vous asseoir par terre. Si vous méditez assis sur une chaise, déposez vos pieds à plat sur le sol et tenez votre dos droit. Si vous restez debout, trouvez votre centre de gravité et balancez-vous légèrement d'avant en arrière, si c'est ce que votre corps désire.

Plus la pièce où vous méditez est obscure, mieux c'est. En fait, au début, même la bougie pourrait vous gêner dans cette méditation. Quand vous aurez répété l'expérience à plusieurs reprises, il ne sera plus aussi important que la pièce soit totalement obscure, puisque vous pourrez accéder à ce lieu simplement en fermant les yeux. Au début, l'obscurité totale est recommandée. Vous pourriez mettre un bandeau qui bloque toute lumière. Peu importe alors que la pièce soit totalement obscure ou pas.

Fermez les yeux et respirez à un rythme précis : la longueur de l'inspiration est la même que celle de l'expiration. Respirez doucement, aisément. Suivez le rythme de votre respiration et laissez aller vos pensées. Oubliez vos soucis pour quelques instants.

Pendant quelques minutes, suivez votre respiration jusqu'à ce que vous vous sentiez détendu et à l'aise. Rien ne presse, car là où vous vous rendez, le temps n'existe pas.

Lorsque vous sentez que tout va bien, faites passer votre attention de votre respiration à votre vision intérieure et commencez la méditation de l'unisson, point de départ de toutes les cérémonies sacrées.

Méditation de l'unisson

Retournez au chapitre cinq pour une description détaillée de cette méditation.

- Visualisez un endroit dans la nature qui vous semble beau, avec le plus grand nombre de détails possible. Si vous êtes kinesthésique plutôt que visuel, choisissez votre façon à vous de «voir» votre paysage. Nous avons tous notre façon personnelle de voir. Sentez l'amour que vous portez à la nature et à la Terre Mère. Laissez cet amour grandir dans votre cœur jusqu'à ce que vous sentiez qu'il envahit tout votre corps.

- Lorsque le moment vous semble venu, rassemblez cet amour en une petite sphère et, avec votre intention, envoyez-la vers le centre de la Terre. Faites savoir à votre Mère divine à quel point vous l'aimez. Laissez-lui sentir votre amour. Attendez ensuite que la Terre Mère vous envoie à son tour son amour.

- Lorsque vous sentez l'amour de votre Mère entrer dans votre corps énergétique, laissez-le se déplacer à son gré. Laissez-le simplement être. Sentez le courant d'amour entre vous et la Terre. Vous pouvez rester dans cet état d'union aussi longtemps que vous le désirez.

● Quand vous sentez le moment venu, et sans rompre le lien d'amour entre vous et la Mère divine, déplacez votre attention vers le Père divin. Dans votre vision intérieure, voyez ou sentez un ciel nocturne, avec la Voie lactée, l'espace infini. Voyez les planètes et la Lune luire dans le ciel et sentez la présence cachée du Soleil loin derrière la Terre.

● Sentez tout l'amour que vous avez pour le reste de la création et pour votre Père divin. Lorsque le moment vous semble venu, rassemblez cet amour dans une petite sphère et envoyez-la vers les cieux avec l'intention qu'elle se rende directement à votre Père divin. Envoyez-la vers les grilles énergétiques entourant la Terre, le Soleil ou le Grand Soleil central. Faites en sorte que votre Père divin connaisse vos sentiments... et attendez.

● Attendez que l'amour de votre Père divin descende sur terre et entre dans votre corps. Quand il y entre, laissez-le se déplacer à son gré. N'essayez pas de le contrôler. Contentez-vous de le sentir.

● À partir de cet espace de pur amour, ouvrez-vous à la présence de Dieu, prenez conscience que celui-ci est tout autour de vous et en vous. Soyez simplement conscient de cette union des forces cosmiques, sentez-la et respirez à l'unisson avec la vie.

Méthode yang ou méthode yin

Choisissez la méthode qui vous convient pour entrer dans l'espace sacré du cœur, c'est-à-dire le vortex yang du champ toroïdal ou la voie féminine de l'intuition. Peu importe la voie que vous choisissez; vous avez l'entière liberté de retenir celle qui vous convient le mieux.

○ Avec votre intention et votre volonté, quittez le mental et descendez vers le chakra de la gorge. Sentez la gorge tout autour de vous et déplacez-vous ensuite vers le cœur physique.

Si vous avez choisi la méthode yang, élevez-vous au-dessus du cœur jusqu'à ce que votre vision intérieure puisse voir ou sentir le champ toroïdal interne, le vortex. Puis, tout comme une feuille sur l'eau d'une rivière, laissez votre esprit voguer sur la spirale énergétique, quelle que soit sa direction. Sentez-vous tournoyer toujours plus vite jusqu'à ce que vous tombiez dans le centre du vortex. Laissez-vous tomber jusqu'à ce que vous sentiez l'immobilité et la paix. Vous vous trouvez maintenant dans l'espace sacré du cœur.

Si vous avez choisi la méthode yin, voyez ou sentez le cœur s'approcher et passez tout droit à travers sa paroi. Une fois à l'intérieur, laissez votre intuition vous guider directement vers l'espace sacré du cœur.

○ Maintenant vous y êtes. La première chose à faire est de regarder autour de vous. Si c'est sombre, ce qui est fort possible, dites à votre monde intérieur: «Que la lumière soit!» et observez ou sentez l'obscurité se transformer en un monde de lumière.

○ Une fois que vous pouvez voir ou sentir l'espace sacré du cœur, prêtez attention à sa vibration, au son qui habite ce lieu, et devenez-en conscient. Écoutez ce son pendant quelques instants. Quand le moment vous semble approprié, commencez à produire vous-même ce son. Essayez de reproduire aussi précisément que possible le son que vous entendez intérieurement. Explorez cet espace sacré tout en continuant à murmurer ce son.

Première exploration de l'espace sacré du cœur

C'est ici que l'aventure commence. Certaines personnes se rappelleront s'être trouvées en ce lieu des millions de fois auparavant, alors que d'autres sentiront qu'elles y viennent pour la première fois. Peu importe. Vous avez cependant besoin des quelques précisions suivantes à ce sujet.

L'espace sacré du cœur est plus ancien que la création elle-même. Il existait avant même les galaxies. Tous les endroits de la création où vous êtes passé sont inscrits dans cet espace sacré. Il se pourrait donc que vous vous souveniez tout d'abord de ce qu'est la vie elle-même.

C'est à cet espace sacré que vous avez confié les plus grands désirs de votre cœur, ceux que vous souhaitez voir se réaliser. Pour vous, les vivre est plus important que tout le reste. Cet espace existe pour que vous vous rappeliez la raison première de votre venue sur la Terre, qu'elle soit récente ou très ancienne. Vous pouvez d'abord explorer ces souvenirs, ou bien laisser votre intuition vous diriger. À un moment donné, tout vous sera révélé, ainsi que vous l'avez vous-même programmé.

La première fois que vous accédez à l'espace sacré du cœur, il vaut mieux n'y rester qu'un maximum de trente minutes. Servez-vous d'un minuteur ou demandez à quel-qu'un de vous «ramener» à une heure précise. Cet espace sacré est fascinant et il faut de l'expérience pour savoir com-bien de temps on devrait y rester. Commencez par un court laps de temps, que vous pourrez rallonger avec l'expérience.

Retour à l'espace sacré du cœur

C'est lorsque vous entrez dans l'espace sacré du cœur pour la deuxième fois que vous trouvez l'espace contenu dans cet espace, ce que les Upanishad appellent le «minus-cule espace contenu dans le cœur». J'ai déjà mentionné dans ce livre qu'il existait un petit endroit extrêmement important dans l'espace sacré du cœur. Je vous demande de le trouver en recourant à votre intuition lorsque vous entrez dans le cœur pour la deuxième fois. Cet endroit est déterminant pour la suite de votre vie spirituelle.

Il est beaucoup plus facile et rapide d'entrer dans l'espace sacré du cœur la deuxième fois. À un moment donné, vous saurez y entrer en quelques secondes.

- Fermez simplement les yeux et déclarez votre amour à la Terre Mère et au Ciel Père en ressentant l'amour qui vous relie à eux.

- Sentez que vous quittez la tête et que vous vous déplacez vers la gorge. Ensuite, déplacez-vous vers le cœur et commencez à murmurer le son que vous savez être dans l'espace sacré du cœur. La vibration de ce son vous ramènera rapidement dans votre espace sacré. Voilà, vous y êtes! C'est tellement facile lorsque l'on connaît le chemin!

- Avec votre intention, laissez-vous guider vers le petit espace de l'espace sacré du cœur. Ce dernier est différent chez chacun, mais ses qualités sont similaires chez tous.

- Une fois que vous avez trouvé cet endroit de création, entrez-y et découvrez ce qui en émane.

  Remarquez que la vibration devient plus aiguë. Remarquez aussi que ce petit endroit possède une qualité totalement différente de celle des autres endroits du cœur. C'est là l'origine de la création. Il vous faudra peut-être un certain temps pour réaliser où vous vous trouvez. Ou peut-être le réaliserez-vous immédiatement. Dans cet endroit réside le Créateur de toute vie. Dans cet endroit, tout est possible.

● ● ●

Les participants à mes ateliers m'ont appris que la façon la plus aisée de voir Dieu était de demander à la personne que vous aimez le plus d'être avec vous dans cet endroit. S'il y en a plusieurs, choisissez-en une. Avez-vous vu le film *Contact*? La race évoluée se présenta à la Terrienne, qui explorait la conscience supérieure, sous les traits de son père qu'elle aimait plus que tout au monde. C'est ce qui lui permit d'accepter plus facilement les événements.

Invitez donc la personne que vous aimez le plus, qu'elle soit vivante ou décédée, à vous rejoindre dans ce lieu où tous les cœurs sont intimement reliés. Dès qu'elle apparaît dans votre espace intérieur avec vous, il n'y a plus de directives à suivre. Laissez arriver ce qui arrive, car Dieu sait exactement quoi faire.

Revenez chaque jour dans l'espace sacré de votre cœur et poursuivez votre exploration. C'est votre droit inné que de vous rappeler qui vous êtes vraiment et pourquoi vous êtes sur la Terre. Vous êtes un incroyable enfant de Dieu en train de rêver qu'il est un être humain sur une minuscule planète au milieu de nulle part. Que se passe-t-il lorsque vous vous rappelez qui vous êtes vraiment? C'est quelque chose que vous êtes le seul ou la seule à savoir.

Vous connaissez maintenant le chemin qui vous ramène au Bercail. C'est dans l'espace sacré du cœur que tous les mondes, toutes les dimensions, tous les univers, toute la création trouvent leur origine. Et c'est dans votre propre cœur que tous les cœurs de la vie tout entière se retrouvent.

Chapitre huit

Le Merkaba et l'espace sacré du cœur

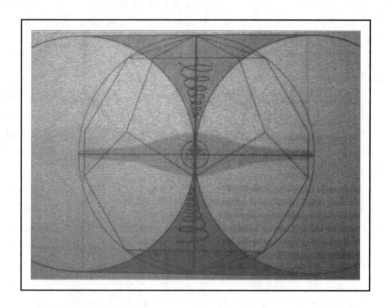

Fusion de l'espace sacré du cœur et du Merkaba

Explication des anges

*N*ombreux sont les paticipants à mes ateliers qui attendent impatiemment le prochain niveau d'enseignement sur le corps humain de lumière ou Merkaba. Il m'a fallu plus de dix-neuf ans pour rassembler l'information que j'ai divulguée jusqu'à maintenant. En effet, tout n'arrive toujours qu'au moment opportun et selon l'ordre divin.

Et effectivement, un autre niveau, une autre partie à cet enseignement viendra dans le futur, lorsque Dieu l'aura décidé. En ce moment, je ne dispose que d'une fraction de l'information pour cette troisième et ultime partie. Lorsque les trois parties seront combinées et intégrées, la véritable ascension pourra alors commencer.

Bien des gens qui ont pris connaissance des enseignements du Merkaba en lisant les deux tomes de *L'ancien secret de la Fleur de vie*, en assistant à mes ateliers ou en visionnant la série de bandes vidéo sur la «Fleur de vie» ont ensuite décidé de transmettre cet enseignement. C'est un regret pour notre Terre que cela ce soit produit, car ces gens pensent que le Merkaba est finalisé et qu'en le modifiant d'une façon ou d'une autre on peut passer au «bon» niveau de conscience, ce qui est absolument faux. Aucune connaissance de la science du Merkaba fondée uniquement sur les formes d'énergie ne peut mener à ce résultat, de quelque lieu ou de quelque personne qu'elle provienne dans l'univers.

La conscience Melchizédek, qui est plus ancienne que la création elle-même, a assisté au début de la création dans cette dimension spatiotemporelle de l'univers, un univers parmi une multitude d'autres. À partir de cette expérience, la tradition Melchizédek a compris qu'en vivant les trois parties du Merkaba l'esprit individualisé est toujours ramené à la présence consciente de Dieu dans l'espace sacré du cœur, afin de recommencer la création autrement. C'est exactement ce à quoi conduit finalement l'expérience du Merkaba.

Mais, avant que cela puisse se produire, l'esprit doit se

souvenir de ces trois parties, les combiner en une seule et vivre l'expérience qui en résulte. Dans ce chapitre et le suivant, vous apprendrez la deuxième partie, soit comment fusionner l'espace sacré du cœur et le champ de lumière humain ou Merkaba.

Si vous n'avez pas encore appris la méditation du Merkaba, il est normal de vous souvenir seulement de l'espace sacré du cœur. À un moment donné, il deviendra évident pour vous que l'apprentissage du corps humain de lumière fait nécessairement partie de votre expérience humaine, même dans l'espace sacré du cœur. Ce corps de lumière sert de lien entre le mental et le cœur afin que le cœur puisse créer dans le mental.

Il existe un grand nombre de motifs géométriques du Merkaba. On en connaît plus de cent mille dans l'univers entier. Il a fallu toute la vie depuis le début de la création pour comprendre ces formes du Merkaba et les relier à l'existence et à la conscience.

L'humanité ne travaille qu'avec les premier et deuxième motifs possibles, qui sont liés au tétraèdre étoilé. Bien qu'il existe de nombreux autres motifs, ils ne conviennent pas à la conscience humaine présente, malgré l'avis contraire de certaines personnes. En fait, ces motifs seraient nocifs au lieu d'être bénéfiques.

Avec le temps, tout sera révélé, plus rien ne sera caché. Tout arrive toujours à point nommé. Vous ne voudriez pas que votre enfant de trois ans s'assoie au volant d'un gros semi-remorque, n'est-ce pas?

Fusion de l'espace sacré du cœur et du Merkaba

J'aimerais vous faire part de mon expérience de la fusion de l'espace sacré du cœur et du Merkaba, car je crois que mon histoire pourra clarifier beaucoup de choses. Sachez cependant que, lorsque sera venu le temps pour vous de vous adoner à cette expérience, elle différera sans doute totalement de la mienne.

Mon expérience sembla presque survenir par accident, mais, bien sûr, ce ne fut pas un «accident». J'étais assis, en train de pratiquer la méditation du Merkaba, et je venais d'entrer dans l'espace sacré du cœur. Là, je pénétrai dans ma grotte et me dirigeai vers l'espace sacré. Je m'assis alors dans le cercle débordant d'eau bouillonnante en faisant face au mur, comme d'innombrables fois auparavant.

N'imaginant ni ne sentant rien de particulier, je commençai par prendre simplement conscience de ma respiration. Regardant le mur de pierre devant moi, je le vis devenir transparent, comme je l'avais vu plusieurs fois auparavant, mais, cette fois, l'espace entre les pierres se mit à se remplir d'une lumière vive et blanche. La lumière augmenta sans cesse d'intensité jusqu'à ce que la grotte disparaisse et que je me retrouve enveloppé d'un épais champ de lumière blanche qui m'aveuglait. C'était la première fois qu'une telle chose m'arrivait, mais je n'eus pas peur. Néanmoins, ma colonne vertébrale se redressa et je me tins sur le qui-vive. Je sentis une montée d'énergie dans mon corps, semblable à la première montée de Kundalini dans ma colonne vertébrale. Ce phénomène semblait tout à fait incontrôlable. Quoi que ce fût, cela se manifestait avec une grande puissance.

Graduellement, la lumière blanche s'estompa et je me vis émerger lentement, ou flotter, hors du roc, traverser la surface de la planète et me diriger vers l'espace, Je compris enfin, une bonne minute plus tard, que j'étais en train de m'élever rapidement dans l'espace, dans mon corps de lumière.

Instinctivement, je sus que l'espace sacré de mon cœur et mon Merkaba avaient fusionné en une seule et même réalité. Mais je n'eus pas le temps d'y penser.

Je tournai la tête et vis s'éloigner derrière moi la partie de la Terre qui m'était familière. Je plongeai ensuite mon regard dans le vaste espace, étoilé ainsi que vers la grosse planète sous moi. J'étais aussi stupéfié qu'excité. Qu'est-ce qui avait

provoqué cette expérience? Je n'en savais rien. Et qu'est-ce qu'elle signifiait? Je n'en savais rien non plus. Je n'avais pas d'autre choix que d'observer simplement ce qui se déroulait.

Je me trouvais dans un véhicule ascensionnel à environ deux kilomètres de la surface de la Terre, me déplaçant à une très grande vitesse. Sous moi se révélait un monde fait de jungles, de forêts, de végétation et d'océans immenses. Mais il n'y avait aucune vie animale. Au moment même où j'eus la pensée de me rapprocher de la planète, le véhicule ascensionnel se mit à descendre, exactement comme je l'avais voulu.

Pourquoi tout cela arrivait-il? Que se passait-il? Une myriade de questions me traversaient l'esprit. Chose certaine, tout cela était extrêmement important. Cependant, pendant que ce phénomène se produisait, je ne pouvais rien faire d'autre que vivre l'expérience et en observer le déroulement.

Ensuite, je pris conscience de la présence de Dieu tout autour de moi, en moi et dans les principes directeurs qui régissaient cette expérience. J'avais la forte impression de tout reconnaître, et les réponses à mes questions se mirent à fuser vers moi. Chaque nouvelle question suscitait immédiatement sa réponse. Je continuai de planer au-dessus de cette planète avec l'impression de renaître dans un univers totalement nouveau. J'étais euphorique !

L'expérience dura peut-être une heure, puis je revins à moi comme si je sortais d'un rêve, avec les images et les impressions des lieux où je m'étais attardé. Pendant plusieurs jours, je ne pensai à rien d'autre.

Explication des anges

Mes anges m'apparurent peu après cette expérience. Ils me semblaient tout à fait ravis et j'eus l'impression que leur lumière était plus intense que jamais. Ils me dirent que j'avais enfin réussi à atteindre le deuxième niveau. En vérité, à ce moment-là, je ne compris pas du tout le sens de cette phrase, mais je dois reconnaître que j'ai parfois l'esprit un peu lent !

Mes anges m'expliquèrent ce qui s'était passé. L'axe de mon Merkaba et celui du champ toroïdal généré par l'espace sacré de mon cœur avaient fusionné pour ne faire plus qu'Un. Autrement dit, les champs toroïdaux du Merkaba et du cœur s'étaient synchronisés. En fait, il n'y a qu'environ dix centimètres entre les axes des deux champs, mais que la distance soit de dix centimètres ou de mille kilomètres, elle fait en sorte que l'expérience n'a plus lieu par hasard ; elle maintient le cœur et la tête séparés jusqu'au moment voulu.

Les anges me précisèrent que cette expérience serait différente pour chacun, mais qu'elle permettrait d'en connaître la possibilité et de patienter. Chez certains, cette synchronisation s'effectuerait rapidement, alors que chez d'autres elle nécessiterait des années. Mais, peu importe comment et quand elle se produirait, tout se ferait dans l'ordre divin et la perfection.

Finalement, les anges ajoutèrent que lorsque quelqu'un se sent prêt, il est bon d'utiliser l'imagination du mental et la rêverie du cœur pour sentir les deux axes ne devenir qu'Un. Mais il ne faut pas avoir d'attentes. Seul Dieu décide du moment et personne ne peut faire quoi que ce soit pour hâter les choses. Le moment doit être venu.

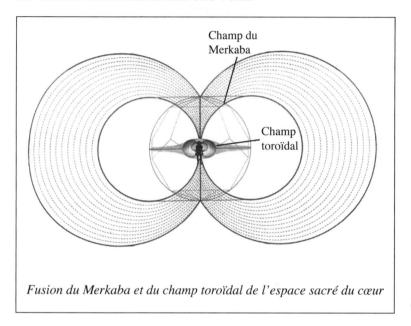

Champ du
Merkaba

Champ
toroïdal

Fusion du Merkaba et du champ toroïdal de l'espace sacré du cœur

Chapitre neuf

Cocréation consciente par l'association du cœur et du mental

La parole est à Thot

Créer à partir du cœur

Créer à partir du mental

La logique opposée aux sentiments et aux émotions

Rêver un monde nouveau

*L*a cocréation consciente s'enclenche quand on sait comment se trouver dans son Merkaba qui a fusionné avec l'espace sacré du cœur, c'est-à-dire l'esprit résidant dans le minuscule espace intérieur. Dans cet état de conscience, on crée et on se manifeste directement dans le monde extérieur. Il faut néanmoins savoir que, même dans cet état de conscience, la création est limitée car le troisième niveau n'a pas été atteint. Mais c'est tout de même l'état parfait pour commencer à apprendre.

J'aimerais attirer votre attention sur la possibilité de la cocréation consciente dans le petit espace de l'espace sacré du cœur. C'est à partir de cet espace ancestral que vous pouvez recréer un monde d'amour et d'équilibre, et remédier à tout.

Cela est également possible même si vous ne connaissez pas le Merkaba. Par contre, le Merkaba combiné avec l'espace sacré du cœur offre un autre niveau de possibilités. Vous devez cependant réaliser que tout le potentiel humain et la cocréation consciente ne pourront advenir à moins qu'il n'y ait maîtrise des trois niveaux. Mais il faut bien débuter quelque part !

La parole est à Thot

Thot et plusieurs maîtres qui ont connu l'ascension, y compris sa contrepartie féminine, Shesat, sont récemment revenus de la dimension spatiotemporelle située au-delà du «Grand Mur», ce vide entre les octaves vers lesquelles l'humanité se dirige actuellement dans son évolution. Anciennement, le prénom de Thot était en fait un titre, «Chiquetet», qui signifie «chercheur de sagesse». Lorsque Thot revint des octaves suivantes de l'univers, sa personnalité avait totalement changé. Son désir constant de vouloir comprendre la réalité avait été remplacé par un savoir immédiat qui transcendait sa quête, et un grand calme émanait de lui.

Après m'être apparu, il me regarda et me dit : « Drunvalo, nous les Terriens cherchons depuis la nuit des temps le lien entre l'expérience humaine et l'acte de créer. Nous (les maîtres ayant connu l'ascension) avons tous essayé de comprendre le lien entre la pensée, les actes humains et les miracles. Pendant un certain temps, nous avons cru avoir compris, mais nous savons maintenant qu'il y a autre chose.

« On sait maintenant clairement qu'en créant à partir du mental, on se sert d'un instrument de nature polarisée. Et même si l'intention est de créer le bien, le mental créera toujours le bien et le mal puisque c'est sa nature intrinsèque de le faire.

« Alors, je vous suggère de créer seulement à partir de l'espace sacré du cœur, car seul le cœur connaît l'unité et manifestera l'intention telle qu'elle est, sans manifester son ombre. »

Ce fut une révélation phénoménale pour moi. Immobile, je fixai Thot, reconnaissant immédiatement la vérité qu'il venait d'énoncer. Je ressentis de l'excitation, comme cela m'arrive souvent lorsque je reconnais quelque chose d'important. J'étais impatient de mettre en application ce qu'il m'avait suggéré.

Créer à partir du cœur

Depuis qu'ils sont conscients de l'existence de Dieu, les humains prient Dieu pour que les situations et les événements changent, mais il semble bien que celui-ci n'entend pas toujours leurs prières. Pour quelle raison ? Vous êtes-vous jamais demandé pourquoi Dieu ne nous octroyait pas ce que nous lui réclamions ? La Bible dit pourtant bien : « Demandez et vous recevrez. » Néanmoins, cela ne se produit pas. Ce qui suit répondra peut-être à la question.

Parlons un peu maintenant de la création et de l'acte créateur. On nous enseigne couramment, à l'école comme à la maison, que nous sommes à la merci des éléments et soumis aux effets du hasard des lois physiques. Bien entendu, si vous croyez que c'est vrai, vous serez limité par cette croyance et elle deviendra votre réalité.

Pourtant, il y a très longtemps, les gens pensaient autre chose. Ils croyaient à un aspect spirituel de la réalité par lequel l'esprit humain pouvait intentionnellement modifier la réalité extérieure.

Dans son ouvrage *L'Effet Isaïe*, Gregg Braden raconte qu'en 1947 des archéologues trouvèrent un document près des manuscrits de la mer Morte, appelé le manuscrit d'Isaïe. Ce manuscrit décrit le pouvoir qu'ont les humains d'influer sur les possibilités du futur et de changer le monde extérieur au moyen de leur vision intérieure.

Selon la société technologique actuelle, il s'agit là d'une idée purement fantaisiste. Mais l'est-elle vraiment? Si nous ne pouvons exercer aucune influence sur le présent et le futur, alors tout ce que Jésus a dit est nécessairement faux. Jésus n'a-t-il pas accompli d'incroyables exploits, comme de changer la formation moléculaire de l'eau en celle du vin? Il a même ramené à la vie une personne décédée! Pour la science moderne, ces histoires ne sont justement que des histoires, puisque rien ne peut les étayer scientifiquement.

Jésus nous a également déclaré ceci: «Je vous le dis, celui qui croit en moi et en ce que je fais le fera aussi et bien plus.» Alors, qu'en est-il de tous ces nouveaux enfants qui font le genre de choses que Jésus pouvait accomplir et que la science a consignées dans des magazines prestigieux et connus comme le journal *Nature* et le magazine *Omni*?

Les scientifiques n'ont aucune idée de la façon dont les enfants peuvent déclencher de tels phénomènes paranormaux, mais ils en prennent note officiellement. Ce sont des faits. Alors, qu'est-ce que l'espace sacré du cœur a à voir avec tout cela? Avant que je puisse vous l'expliquer, nous devons d'abord observer la façon dont le mental crée un miracle et la comparer avec celle dont l'espace sacré du cœur le fait.

Créer à partir du mental

Souvent, lorsque vous priez Dieu pour qu'il vous octroie quelque chose dont vous avez apparemment besoin, rien ne se passe. Si l'on s'en tient à l'effet Isaïe, la raison pour laquelle il en est ainsi est claire. Selon le vieux manuscrit, tout miracle commence par une focalisation du mental sur ce que vous désirez voir arriver.

Disons, par exemple, que vous voulez guérir d'une grave maladie. Vous concentrerez d'abord votre attention sur la guérison de cet endroit précis de votre corps. Bien entendu, cela ne suffit pas pour que la guérison survienne, mais c'est un pas essentiel pour en amorcer le processus.

Après l'attention, il faut ajouter l'intention. Poursuivons avec le même exemple. Après avoir concentré votre attention sur la partie affectée de votre corps, il vous faudra émettre l'intention que la maladie s'en aille.

Mais cela ne suffit pas encore non plus. Il faut que trois autres éléments entrent en jeu, sinon rien ne se produira; ces éléments sont le corps mental, le corps émotionnel et le corps physique.

Le corps mental doit voir guérie la partie du corps qui est affectée. Il doit se la représenter comme étant totalement guérie et saine, libérée de tout mal. Et il doit savoir sans l'ombre d'un doute que cette guérison est effectivement en train de s'effectuer ou s'effectuera dans un laps de temps précis, selon ce que vous pouvez accepter. Pouvez-vous accepter une guérison spontanée, ou vos croyances exigent-elles qu'elle prenne plus de temps? Ce savoir est essentiel, mais il ne suffit pas encore.

Ensuite, c'est le corps émotionnel qui doit entrer en jeu. La personne doit ressentir ce que sera sa réalité de guérison totale. Il faut réellement ressentir cette émotion. Il ne suffit pas que le mental pense la ressentir. C'est là que bien des gens se leurrent. Sans l'implication du corps émotionnel, absolument rien ne pourra se produire.

Mais ce n'est toujours pas assez. Disons que vous priez pour guérir, que vous accordez toute votre attention à la maladie, que vous avez l'intention de guérir, que votre mental sait que votre corps est guéri ou va guérir et que votre corps émotionnel ressent une émotion de joie comme si votre corps était complètement guéri. Tant que le troisième et dernier élément ne sera pas entré en jeu, rien ne se passera.

Tant de gens prient pour que quelque chose s'accomplisse, en utilisant tous ces éléments, en croyant fermement que cela aura lieu et en pleurant même parfois pendant des heures pour que cela arrive, et pourtant... rien ne se produit. C'est parce que le troisième et dernier élément n'est pas entré dans l'équation. C'est l'élément que presque tout le monde oublie ou ne reconnaît pas.

Le dernier élément, l'aspect oublié, c'est le corps physique. Dans l'exemple employé ici, la personne devra sentir la partie du corps comme étant complètement normale et guérie. Cela ne veut pas dire qu'il faut sentir qu'un processus mental ou une conscience mentale fait son chemin dans le corps dans l'intention de détecter la partie malade. Cela signifie plutôt qu'il faut avoir réellement des sensations corporelles vous indiquant que votre corps répond bien. Dans la partie affectée, la douleur a cédé la place à la vitalité. Lorsque le corps répond, le miracle peut enfin s'opérer.

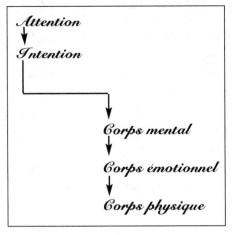

Mais il reste encore une chose à préciser, à laquelle le manuscrit d'Isaïe ne fait pas allusion, mais dont Thot a parlé : lorsqu'on crée à partir du mental, on crée les deux polarités de l'intention. Si, par exemple, nous prions pour la paix, nous obtenons à la fois la paix et la guerre. C'est exactement ce qui à cours dans le monde aujourd'hui. Des millions, peut-être des milliards de gens prient pour la paix dans le monde. Résultat : il y a des zones de paix et des zones de guerre. (Au moment où j'écris ces lignes, quarante-six guerres se déroulent.) Alors, examinons la situation un peu plus en profondeur.

La logique opposée aux sentiments et aux émotions

Le mental crée au moyen des pensées et celles-ci s'enchaînent au moyen de la logique. Peu importe ce que crée le mental, on peut suivre le processus logique par lequel la réalité a été transformée, passant d'un état à un autre. Même s'il s'agit d'un miracle, un enchaînement logique est susceptible d'être mis au jour. Mais, comme je l'ai souligné, la logique génère toujours les deux polarités correspondant à l'intention originale.

Le cœur, quant à lui, est complètement différent. Il crée au moyen de rêves et d'images, qui se manifestent par les sentiments et les émotions. Cette forme de création ne fait pas appel à la logique et n'a donc pas besoin de celle-ci pour passer d'un état à un autre.

Si, par exemple, vous priez pour qu'il pleuve et que vous le faites à partir du cœur, il pourrait se mettre à pleuvoir immédiatement, même s'il n'y avait aucun nuage dans le ciel cinq minutes auparavant. C'est un peu comme dans les rêves, où l'on peut se trouver en Italie dans une scène et, la seconde d'après, au Canada dans une scène totalement différente. Comment est-on passé de l'Italie au Canada en quelques secondes ? Nous acceptons ce genre de choses comme allant de soi pour nos rêves, mais nous les croyons impossibles dans le monde tridimensionnel. Peut-être ne le sont-elles pas.

Rêver un monde nouveau

L'une des dernières choses qu'il faut savoir par expérience pour cocréer de façon consciente est celle-ci: peu importe comment cela nous apparaît, il existe dans l'espace sacré du cœur un lien direct pour revenir à la réalité tridimensionnelle des étoiles et des planètes. Ce lien n'est pas toujours immédiatement évident, mais si vous continuez à entrer dans votre cœur, vous l'établirez.

Cela est très important puisque c'est ce lien avec les étoiles et les planètes qui permet aux rêves du cœur de s'actualiser dans ce monde. Alors, avant de commencer à actualiser vos rêves à partir de l'espace sacré de votre cœur, trouvez d'abord le lien qui vous ramènera à ce monde par les étoiles et les planètes. Ainsi vous connaîtrez la vérité.

Je vous demande donc d'aller dans l'espace sacré de votre cœur et de fusionner ce dernier avec votre Merkaba pour rêver petit à petit un monde nouveau et sain.

Mettez en application tout ce que vous savez pour cocréer consciemment avec Dieu un nouveau corps, une nouvelle vie et un nouveau monde. Ce pouvoir est un droit inné et fait partie de votre patrimoine humain, car vous êtes le fils ou la fille de Dieu. À partir de la relation intime que vous entretenez avec Dieu, tout est possible.

● ● ●

Le but de ces instructions est de vous amener à comprendre que votre corps est lumière, que le monde dans lequel vous vivez est lumière et qu'ils sont tous deux directement liés à votre conscience. Vivre dans votre cœur, entouré du champ d'énergie de votre Merkaba, vivre et créer à partir de ce lieu sacré, telle est la prochaine étape qui vous fera finalement réaliser qui vous êtes vraiment et vous conduira à l'accomplissement de votre raison sacrée d'exister. Rendu à ce stade, vous prendrez certainement conscience que vous êtes en train de vous élever vers les cieux... Et je veux terminer en citant les paroles d'un vieil ami à nous tous :

« Vous pouvez dire de moi que je suis un rêveur, mais je ne suis pas le seul. Peut-être un jour vous joindrez-vous à nous et le monde ne fera plus qu'Un. »　　　　*John Lennon*

Lorsque nous avons créé le monde

Être l'Un mais tout seul était trop lourd,
alors j'ai créé deux.
Et puis il y eut toi, l'humain.
Tu étais si beau avec tes grands yeux innocents!
Je t'aimais de si loin et cependant de si près,
et d'une façon que tu ne pouvais pas comprendre.
Tu ne savais pas que je te regardais par les yeux de
chaque personne que tu rencontrais.
Tu n'entendais pas ma voix dans le vent
et tu pensais que la Terre n'était que pierres et poussière.
Tu ne réalisais pas qu'il s'agissait de mon corps.
Pendant ton sommeil, nous nous rencontrions dans ton cœur,
nous faisions l'amour en unissant nos esprits pour faire l'Un
et nous enfantions des mondes nouveaux avec une grande passion.
Toutefois, à ton réveil, tu avais tout oublié
et tu croyais qu'il s'agissait simplement d'un autre rêve.
Mais non, c'était seulement une autre journée de solitude pour toi.
Dans ton cœur je t'attends, mon amour, à jamais.
Car notre amour et notre unité existent à tout jamais.
Notre amour est la matrice du Grand Tout.
Rappelle-toi, douce créature,
que je t'attendrai toujours dans ton cœur,
dans l'endroit qui est tout petit.

Drunvalo

Pour les stages *Fleur de vie* donnés à travers le monde ou pour avoir plus d'information sur l'organisation soutenant ces stages, contactez: *www.floweroflife.org*

CALENDRIER 2004

Rachel Pelletier

rpelletier@fleurdevie.ca / www.fleurdevie.ca

Vous êtes invités à prendre contact avec les personnes dont le nom apparaît ci-dessus. Elles sont responsables de l'organisation sur place et peuvent répondre à vos questions.

ATELIERS FLEUR DE VIE 2000

Canada - QUÉBEC

27, 28, 29 Août	Montreal	Rachel Pelletier	418-837-7623
15, 16, 17 Octobre	Québec	Rachel Pelletier	418-837-7623

CÔTE D'IVOIRE

17, 18, 19 Septembre	Abidjan	Philipe Torrela	(225) 05.04.64.03

FRANCE

7, 8, 9 Mai	Annecy	Michelle Bontron	04.50.68.55.60
28, 29, 30 Mai	Bretagne	Thérèse Maricot	02.99.61.82.92
			06.80.57.25.53
4, 5, 6 Juin	Toulouse	Chantal Dauphné	06.25.20.54.47
18, 19, 20 Juin	Lyon	Librairie Shamballa	04.78.54.19.38
24, 25, 26 Septembre	Meaux	Yves Arion Chabin	01.60.25.40.09
1, 2, 3 Octobre	Alsace	Annick Sculler	03.88.07.68.01
8, 9, 10 Octobre	Grenoble	Michèle Romagnol	04.76.25.10.93
19, 20, 21 Novembre	Drôme	Catherine Collombet	04.75.07.41.24

ROUMANIE

26, 27, 28 Novembre	Bucarest	Anca Baciu	(40) 07.22.21.48.49
			ou 02.13.26.73.08

SUISSE

26, 27, 28 Mars	Genève	Anna Angèle Bornet	(41) 022.700.18.25
		Edwin Nathan	(41) 022.346.90.95

GÉOMÉTRIE SACRÉE

Le GERME DE VIE... De la Conception à la naissance

<u>Canada – QUÉBEC</u>

13,14,15 Août	St-Damien	Claude Delorme	450-835-5730
		Rachel Pelletier	418-837-7623

<u>FRANCE</u>

10 au 13 Juin	Bordeaux	Maria & Curulla	
			05.56.05.89.84
11 au 14 Novembre	Lyon	Librairie Shambhalla	04.78.54.19.38

<u>ITALIE</u>

30 Avril et 1er, 2 Mai	Turin	Centro De Armonia	
		Raffaelle Pezzo	(39) 01.19.87.49.14
		KIRA	(39) 01.24.65.14.41

L'ARBRE DE VIE ET LA SAINTE ROSE
En co-animation, Rachel Pelletier et Émilio Lucia

<u>SUISSE</u>

9,10,11 Avril	Genève	Anna Angèle Bornet	(41) 022.700.18.25
		Edwin Nathan	(41) 022.346.90.95

6495, St-Laurent, Lévis (Québec) Canada G6V 3N9   (418) 837-7623
ou   06.70.49.46.42

Vivre dans le Coeur

Drunvalo Melchizedek

L'atelier « VIVRE DANS LE CŒUR » est une approche moderne pour accéder à cet espace sacré du cœur que les Sages de tout temps ont identifié comme La source de la Vie et de l'Amour.

Que ce soit la Flamme du Sacré Coeur portée par JÉSUS et que l'on retrouve sur certaines images, l'expérience de vie dont témoigne St-François d'Assise par son rapport d'amour avec les animaux ou encore les capacités de transformation des Aborigènes de Nouvelle Zélande, « VIVRE DANS LE CŒUR » est cette même expérience. Cet espace sacré dans le cœur correspond à ce lieu ou toute Vie est connectée.

Une fois expérimentée, cette expérience change votre vie pour toujours. Tout ce que vous pensiez être la vrai réalité et votre ressenti de séparation se dissolvent. La simple vérité a propos de notre Unité avec tout, du plus petit au plus grand se manifeste et devient simplement évidente.

Ce n'est pas tout le monde qui est prêt pour cette expérience mais… si cela résonne avec vous, nous serons présents pour vous aider à trouver votre Moi au centre du Coeur.

Dans l'Amour et le Service,
Drunvalo Melchizedek

Si vous désirez plus détails sur la logistique de l'atelier n'hésitez pas à contacter l'organisatrice de ce stage:
Rachel Pelletier: 418-837-7623
rpelletier@fleurdevie.ca

**Quelques exemples
de livres d'éveil publiés
par Ariane Éditions**

Perles de Sagesse du peuple animal
Transparence
Aimer ce qui est
Anatomie de l'esprit
Contrats sacrés
Marcher entre les mondes
L'ancien secret de la Fleur de vie, tomes 1 et 2
Les enfants indigo
Célébration des enfants indigo
Aimer et prendre soin des enfants indigo
Les émissaires de l'amour
Série Conversations avec Dieu, tomes 1, 2 et 3
L'amitié avec Dieu
Communion avec Dieu
Questions et réponses au sujet de Conversations avec Dieu
Nouvelles Révélations
Le pouvoir du moment présent
Mettre en pratique le pouvoir du moment présent
Quiétude
Le futur est maintenant
Sur les ailes de la transformation
L'amour sans fin
Série Soria :
Les grandes voies du Soleil
Maîtrise du corps ou Unité retrouvée
Voyage
L'Être solaire
Fleurs d'esprit
Série Kryeon :
Graduation des temps
Allez au-delà de l'humain
Alchimie de l'esprit humain
Partenaire avec le divin
Messages de notre famille
Franchir le seuil du millénaire
Un nouveau départ